KB086389

하루 10분 서술형/문장제 학습지

수학 독해

E1

자연수

초5~초6

Creative to Math

씨투엠

수학독해 : 수학을 스스로 읽고 해결하다

객관식이나 간단한 단답형 문제는 자신 있는데 긴 문장이나 풀이 과정을 쓰라는 문제는 어려워하는 아이들이 있어요. 빠르고 정확하게 연산하고 교과 응용문제까지도 곧잘 풀어내지만, 문제 속 상황이 약간만 복잡해지면 문제를 풀려고도 하지 않는 아이들도 많아요. 이러한 아이들에게 부족한 것은 연산 능력이나 문제 해결력보다는 독해력과 표현력입니다. 특히 수학적 텍스트를 이해하고 표현하는 능력, 즉 수학 독해력이지요.

요즘 아이들의 독해력이 약해진 가장 큰 이유는 과거에 비해 이야기를 만나는 방식이 다양해졌기 때문이에요. 예전에는 대부분 말이나 글로써만 이야기를 접했어요. 텍스트 위주로 여러 가지 사건을 간접 체험하고, 머릿 속으로 상황을 그려내는 훈련이 자연스럽게 이루어졌지요. 반면 요즘 아이들은 글보다도 TV나 스마트폰 등 영상매체에 훨씬 빨리, 자주 노출되기에 글을 통해 상상을 할 필요가 점점 없어지게 되었습니다.

그렇다고 아이들에게 어렸을 때부터 영화나 애니메이션을 못 보게 하고 책만 읽게 하는 것은 바람직하지 않고, 가능하지도 않아요. 시각 매체는 그 자체로 많은 장점이 있기 때문에 지금의 아이들은 예전 세대에 비해 이미지에 대한 이해력과 적용력이 매우 뛰어나답니다. 문제는 아직까지 모든 학습과 평가 방식이 여전히 텍스트 위주이기 때문에 지금도 아이들에게 독해력이 중요하다는 점이에요. 그래서 저희는 영상 매체에는 익숙하지만 말이나 글에는 약한 아이들을 위한 새로운 수학 독해력 향상 프로그램인 씨투엠 수학독해를 기획하게 되었어요.

씨투엠 수학독해는 기존 문장제/서술형 교재들보다 더욱 쉽고 간단한 학습법을 보여주려 해요. 문제에 있는 문장과 표현 하나하나마다 따로 접근하여 아이들이 어려워하는 포인트를 찾고, 각 포인트마다 직관적인 활동을 통해 독해력과 표현력을 차근차근 끌어올리려고 합니다. 또한 문제 이해와 풀이 서술 과정을 단계별로 세세하게 나누어 문장제, 서술형 문제를 부담 없이 체계적으로 연습할 수 있어요. 새로운 문장제 학습법인 씨투엠 수학독해가 문장제 문제에 특히 어려움을 겪고 있거나 앞으로 서술형 문제를 좀 더 잘 대비하고 싶은 아이들에게 큰 도움이 될 것이라 자신합니다.

쎄듀엠 수학독해의 구성과 특징

- 매일 부담없이 2쪽씩, 하루 10분 문장제 학습
- 매주 5일간 단계별 활동, 6일차는 중요 문장제 확인학습
- 5회분의 진단평가로 테스트 및 복습

주차별 구성

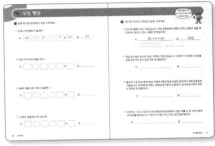

일일학습
꼬마 수학자들의
간단한 팁과 함께
매일 새롭게 만나는
단계별 문장제 활동

확인학습
중요 문장제 활동을
다시 한번 확인하며
주차 학습 마무리

1주차	1일	2일	3일	4일	5일	확인학습
	6쪽 ~ 7쪽	8쪽 ~ 9쪽	10쪽 ~ 11쪽	12쪽 ~ 13쪽	14쪽 ~ 15쪽	16쪽 ~ 18쪽

2주차	1일	2일	3일	4일	5일	확인학습
	20쪽 ~ 21쪽	22쪽 ~ 23쪽	24쪽 ~ 25쪽	26쪽 ~ 27쪽	28쪽 ~ 29쪽	30쪽 ~ 32쪽

3주차	1일	2일	3일	4일	5일	확인학습
	34쪽 ~ 35쪽	36쪽 ~ 37쪽	38쪽 ~ 39쪽	40쪽 ~ 41쪽	42쪽 ~ 43쪽	44쪽 ~ 46쪽

4주차	1일	2일	3일	4일	5일	확인학습
	48쪽 ~ 49쪽	50쪽 ~ 51쪽	52쪽 ~ 53쪽	54쪽 ~ 55쪽	56쪽 ~ 57쪽	58쪽 ~ 60쪽

진단평가 구성

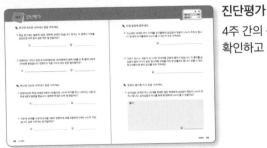

진단평가
4주 간의 문장제 학습에서 부족한 부분을
확인하고 복습하기 위한 자가 진단 테스트

진단평가	1회	2회	3회	4회	5회
	62쪽 ~ 63쪽	64쪽 ~ 65쪽	66쪽 ~ 67쪽	68쪽 ~ 69쪽	70쪽 ~ 71쪽

이 책의 차례

1주차

혼합 계산(1)

✿ 알맞게 식을 완성하고 답을 구하세요.

⭐ 43과 21의 합에서 7을 뺀 수

식 : 43 ＋ 21 － 7 ＝ 57   답 : ____57____

① 26과 17의 차에 39를 더한 수

식 : ⬜ ◯ ⬜ ◯ ⬜ ＝ ⬜   답 : _____

② 68에 14를 더한 수에서 55를 뺀 수

식 : ⬜ ◯ ⬜ ◯ ⬜ ＝ ⬜   답 : _____

③ 73에서 28을 뺀 수와 46의 합

식 : ⬜ ◯ ⬜ ◯ ⬜ ＝ ⬜   답 : _____

덧셈과 뺄셈이 섞여 있는 식에서는 앞에서부터 차례대로 계산해.

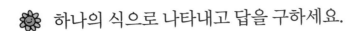

🌸 하나의 식으로 나타내고 답을 구하세요.

⭐ 버스에 ㉘명이 타고 있었습니다. 이번 정류장에서 ⑨명이 내리고 ④명이 탔을 때 지금 버스에 타고 있는 사람은 몇 명일까요?

식 : __38-9+4=33__   답 : __33명__

(지금 버스에 타고 있는 사람 수)

= (처음 버스에 타고 있던 사람 수) − (내린 사람 수) + (탄 사람 수)

① 학급 문고에는 위인전 49권, 과학책 17권이 있습니다. 서준이가 이 중에서 23권을 읽었다면 아직 읽지 않은 책은 몇 권일까요?

식 : _____   답 : _____

② 줄다리기 경기에 5학년 학생 27명과 6학년 학생 25명이 참가하기 위해 운동장에 나왔습니다. 첫 번째 경기에는 48명만 참가한다고 할 때 이 경기에 참가하지 못하는 학생은 몇 명일까요?

식 : _____   답 : _____

③ 석진이는 가지고 있던 돈 3500원으로 900원짜리 연필 1개를 산 후 아버지에게 1400원을 받았습니다. 석진이가 지금 가지고 있는 돈은 얼마일까요?

식 : _____   답 : _____

2일 ( )가 있는 덧셈, 뺄셈

🎨 알맞게 식을 완성하고 답을 구하세요.

⭐ 45에서 7과 22의 합을 뺀 수

식 : 45 – (7 + 22) = 16   답 : __16__

① 51에서 23과 8의 합을 뺀 수

식 : ⬜ ◯ (⬜ ◯ ⬜) = ⬜   답 : _____

② 23에 72와 48의 차를 더한 수

식 : ⬜ ◯ (⬜ ◯ ⬜) = ⬜   답 : _____

③ 59에 32와 13의 차를 더한 수

식 : ⬜ ◯ (⬜ ◯ ⬜) = ⬜   답 : _____

( )가 있는 식에서는
( ) 안을 먼저 계산해.

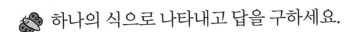 하나의 식으로 나타내고 답을 구하세요.

✪ 윤서는 ⟨500⟩원짜리 사탕 1개와 ⟨1200⟩원짜리 초콜릿 1개를 사고 ⟨2000⟩원을 냈습니다. 윤서가 받은 거스름돈은 얼마일까요?

식 : __2000−(500+1200)=300__　　　답 : __300원__

(윤서가 받은 거스름돈)
= (윤서가 낸 돈) − (사탕 1개와 초콜릿 1개의 값)

① 이현이네 학교 도서관에서 남학생이 47권, 여학생이 65권의 책을 빌려갔습니다. 처음 도서관에 있던 책이 300권일 때 도서관에 남아 있는 책은 몇 권일까요?

식 : _____　　　답 : _____

② 문구점에서 효인이는 4000원짜리 필통 1개를 샀고 정원이는 600원짜리 연필 한 자루와 800원짜리 지우개 1개를 샀습니다. 효인이는 정원이보다 얼마를 더 내야 할까요?

식 : _____　　　답 : _____

③ 주성이가 180쪽인 문제집을 풀고 있습니다. 어제까지 84쪽을 풀었고 오늘은 13쪽을 풀었습니다. 오늘까지 풀고 남은 쪽수는 몇 쪽일까요?

식 : _____　　　답 : _____

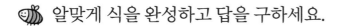 알맞게 식을 완성하고 답을 구하세요.

⭐ 8과 9의 곱을 6으로 나눈 수

식 : ⬜ 8 ⬜ × ⬜ 9 ⬜ ÷ ⬜ 6 ⬜ = ⬜ 12 ⬜   답 : ___12___

① 64를 16으로 나눈 몫에 7을 곱한 수

식 : ⬜ ⬜ ⬜ ⬜ ⬜ = ⬜   답 : _____

② 11에 6을 곱한 수를 3으로 나눈 몫

식 : ⬜ ⬜ ⬜ ⬜ ⬜ = ⬜   답 : _____

③ 76을 4로 나눈 수와 9의 곱

식 : ⬜ ⬜ ⬜ ⬜ ⬜ = ⬜   답 : _____

곱셈과 나눗셈이 섞여 있는 식에서는 앞에서부터 차례대로 계산해.

🐝 하나의 식으로 나타내고 답을 구하세요.

✪ 홍시가 한 상자에 18개씩 5상자 있습니다. 홍시를 6명에게 똑같이 나누어 주면 한 사람이 몇 개를 가질까요?

식 : ＿＿＿＿18×5÷6=15＿＿＿＿   답 : ＿＿＿15개＿＿＿

(한 사람이 가지게 되는 홍시의 수)

= (한 상자에 들어 있는 홍시의 수) × (상자 수) ÷ (사람 수)

① 64명의 학생을 한 모둠에 4명씩 나누고 각 모둠에 과자를 6개씩 나누어 주었습니다. 나누어 준 과자는 모두 몇 개일까요?

식 : ＿＿＿＿＿＿＿＿＿＿＿   답 : ＿＿＿＿＿＿＿＿＿

② 오이 56개를 한 상자에 8개씩 넣어 한 상자에 4000원씩 받고 모두 팔았습니다. 오이를 팔고 받은 돈은 얼마일까요?

식 : ＿＿＿＿＿＿＿＿＿＿＿   답 : ＿＿＿＿＿＿＿＿＿

③ 연필 9타를 4명에게 똑같이 나누어 주면 한 사람이 몇 자루를 가질까요? (연필 한 타는 12자루입니다.)

식 : ＿＿＿＿＿＿＿＿＿＿＿   답 : ＿＿＿＿＿＿＿＿＿

🎨 알맞게 식을 완성하고 답을 구하세요.

⭐ 36을 3과 4의 곱으로 나눈 수

식 : 36 ÷ (3 × 4) = 3   답 : ____3____

① 126을 2와 9의 곱으로 나눈 수

식 : ☐ ◯ (☐ ◯ ☐) = ☐   답 : _____

② 3에 54를 9로 나눈 몫을 곱한 수

식 : ☐ ◯ (☐ ◯ ☐) = ☐   답 : _____

③ 14에 39를 3으로 나눈 몫을 곱한 수

식 : ☐ ◯ (☐ ◯ ☐) = ☐   답 : _____

( )가 있는 식에서는
( ) 안을 먼저 계산해.

 하나의 식으로 나타내고 답을 구하세요.

✪ 오렌지 90개를 한 상자에 5개씩 3줄로 담으려고 합니다. 오렌지를 모두 담으려면 몇 상자가 필요할까요?

식 : $90 \div (5 \times 3) = 6$ 답 : 6상자

(상자 수) = (전체 오렌지의 수) ÷ (한 상자에 담는 오렌지의 수)

① 카스테라 빵 210개를 한 상자에 6개씩 7줄로 담으려고 합니다. 카스테라 빵을 모두 담으려면 몇 상자가 필요할까요?

식 : _____   답 : _____

② 어느 인형 공장에서 한 사람이 한 시간에 인형을 7개씩 만들 수 있다고 합니다. 4명이 인형 84개를 만들려면 몇 시간이 걸릴까요?

식 : _____   답 : _____

③ 한 사람이 한 시간에 종이꽃을 3개씩 만들 수 있습니다. 8명이 종이꽃 96개를 만들려면 몇 시간이 걸릴까요?

식 : _____   답 : _____

✿ 주어진 식을 보고 □ 안에 알맞은 수를 써넣은 후 답을 구해 보세요.

☆
56÷7×5

학생 56 명을 한 모둠에 7 명씩으로 나눈 후 각 모둠마다 공책을
5 권씩 주려면 공책은 모두 몇 권 필요할까요?

답 : __40권__

①
24−9+16

버스에 □ 명이 타고 있습니다. 이번 정류장에서 □ 명이 내리고
□ 명이 탔다면 지금 버스에 타고 있는 사람은 몇 명일까요?

답 : _____

②
12×4÷3

한 상자에 □ 개씩 들어 있는 캐러멜 □ 상자를 사서 □ 명의 친
구들에게 똑같이 나누어 주었습니다. 한 사람이 가진 캐러멜은 몇 개일까요?

답 : _____

🌸 식에 알맞은 문제를 만든 후 답을 구해 보세요.

⭐

12×8÷6

쿠키가 한 상자에 12개씩 8상자 있습니다. 쿠키를 6 명에게 똑같이 나누어 주면 한 사람이 몇 개를 가질 까요?

답 : _____16개_____

①

14+11-8

답 : _____

②

48÷(3×4)

답 : _____

✎ 알맞게 식을 완성하고 답을 구하세요.

① 56에서 17을 뺀 수와 32의 합

식 : ☐ ◯ ☐ ◯ ☐ = ☐   답 : _____

② 65에 43과 28의 차를 더한 수

식 : ☐ ◯ (☐ ◯ ☐) = ☐   답 : _____

③ 84를 21로 나눈 몫에 17을 곱한 수

식 : ☐ ◯ ☐ ◯ ☐ = ☐   답 : _____

④ 168을 4와 6의 곱으로 나눈 수

식 : ☐ ◯ (☐ ◯ ☐) = ☐   답 : _____

✎ 하나의 식으로 나타내고 답을 구하세요.

⑤ 남학생이 29명, 여학생이 27명 있습니다. 그중에서 안경을 쓴 학생은 17명입니다.
　안경을 쓰지 않은 학생은 몇 명일까요?

　　　　　　식 : _____　　　　답 : _____

⑥ 성민이는 딱지를 57장 가지고 있었습니다. 딱지치기를 하여 어제는 13개 잃었고
　오늘은 29장을 땄습니다. 성민이가 지금 가지고 있는 딱지는 몇 장일까요?

　　　　　　식 : _____　　　　답 : _____

⑦ 지민이는 6000원짜리 돈까스를 먹었고, 영미는 2100원짜리 떡볶이와 3200원
　짜리 김밥을 먹었습니다. 지민이가 먹은 음식의 가격은 영미가 먹은 음식의 가격
　보다 얼마나 더 비쌀까요?

　　　　　　식 : _____　　　　답 : _____

⑧ 주빈이가 250쪽인 책을 읽고 있습니다. 어제까지 64쪽을 읽었고 오늘은 82쪽을
　읽었습니다. 오늘까지 읽고 남은 쪽수는 몇 쪽일까요?

　　　　　　식 : _____　　　　답 : _____

✏️ 하나의 식으로 나타내고 답을 구하세요.

⑨ 복숭아가 한 상자에 16개씩 6상자 있습니다. 복숭아를 8명에게 똑같이 나누어 주면 한 사람이 몇 개를 가질까요?

식 : _____   답 : _____

⑩ 공책 42권을 한 상자에 7권씩 넣어 한 상자에 3000원씩 받고 모두 팔았습니다. 공책을 팔고 받은 돈은 얼마일까요?

식 : _____   답 : _____

⑪ 조각 케이크 192개를 한 상자에 8개씩 4줄로 담으려고 합니다. 조각 케이크를 모두 담으려면 몇 상자가 필요할까요?

식 : _____   답 : _____

⑫ 어느 장난감 공장에서 한 사람이 한 시간에 장난감을 6개씩 만들 수 있다고 합니다. 3명이 인형 126개를 만들려면 몇 시간이 걸릴까요?

식 : _____   답 : _____

2주차

혼합 계산(2)

🌸 계산 순서를 나타내고 계산해 보세요.

⭐

$5+3×6-2=$ ☐5 $+$ ☐18 $-$ ☐2

$=$ ☐23 $-$ ☐2

$=$ ☐21

① $14-5+7×3=$ ☐ $-$ ☐ $+$ ☐

$=$ ☐ $+$ ☐

$=$ ☐

② $9+(12-5)×8=$ ☐ $+$ ☐ $×$ ☐

$=$ ☐ $+$ ☐

$=$ ☐

+, −, ×가 섞여 있는 식에서는 ×를 먼저 계산해.

❀ 하나의 식으로 나타내고 답을 구하세요.

✪ 우주네 반 학생 ⑭명은 ⑤명씩 ②모둠으로 나누어 농구를 하고 나머지는 다른 반 학생 ③명과 응원을 했습니다. 응원한 학생은 모두 몇 명일까요?

식 : ___14−5×2+3=7___   답 : ___7명___

(응원한 학생 수)

= (우주네 반 학생 중 농구하지 않은 학생 수) + (다른 반 학생 수)

① 정미는 일주일 동안 매일 책을 20쪽씩 읽었고, 은지는 5일 동안 매일 책을 13쪽씩 읽었습니다. 두 사람이 읽은 책은 모두 몇 쪽일까요?

식 : _____   답 : _____

② 귤 30개를 준우네 가족 3명과 수인이네 가족 4명에게 2개씩 나누어 주었습니다. 남은 귤은 몇 개일까요?

식 : _____   답 : _____

③ 주민이는 종이개구리 47개를 접었습니다. 종이개구리를 친구 6명에게 5개씩 나누어 준 다음 종이개구리 4개를 더 접었습니다. 주민이가 가지고 있는 종이개구리는 몇 개일까요?

식 : _____   답 : _____

🎨 계산 순서를 나타내고 계산해 보세요.

⭐

$$13-12\div6+7= \boxed{13} - \boxed{2} + \boxed{7}$$
$$= \boxed{11} + \boxed{7}$$
$$= \boxed{18}$$

①

$$14+8-54\div9= \boxed{} + \boxed{} - \boxed{}$$
$$= \boxed{} - \boxed{}$$
$$= \boxed{}$$

②

$$48\div3-(5+2)= \boxed{} \div \boxed{} - \boxed{}$$
$$= \boxed{} - \boxed{}$$
$$= \boxed{}$$

+, −, ÷가 섞여 있는 식에서는 ÷를 먼저 계산해.

🐚 하나의 식으로 나타내고 답을 구하세요.

✪ 어머니는 ㊷살, 아버지는 ㊺살이고 경선이는 어머니와 아버지 나이의 합을 ⑧로 나눈 것보다 ①살 더 많습니다. 경선이는 몇 살일까요?

식 : ___(42+46)÷8+1=12___   답 : ___12살___

(경선이의 나이) = (어머니와 아버지의 나이의 합) ÷ 8 + 1

① 지수는 구슬을 어제 10개, 오늘 14개를 산 후 주머니 3개에 똑같이 나누어 담았습니다. 한 주머니에서 구슬 2개를 꺼냈다면 그 주머니에 남은 구슬은 몇 개일까요?

식 : _____   답 : _____

② 과일 가게에서 4개에 880g인 귤 1개와 3개에 960g인 사과 1개를 샀습니다. 구매한 과일의 무게는 모두 몇 g일까요? (같은 과일 1개의 무게는 서로 같습니다.)

식 : _____   답 : _____

③ 공책 한 권은 1200원, 연필 한 타는 4800원입니다. 현우는 2000원으로 공책 한 권과 연필 한 자루를 샀습니다. 현우가 받은 거스름돈은 얼마일까요? (연필 한 타는 12자루입니다.)

식 : _____   답 : _____

🐝 계산 순서를 나타내고 계산해 보세요.

⭐

$200 \div 4 - 24 + 20 \times 3 =$ $\boxed{50}$ $-$ $\boxed{24}$ $+$ $\boxed{20}$ $\times$ $\boxed{3}$

$=$ $\boxed{50}$ $-$ $\boxed{24}$ $+$ $\boxed{60}$

$=$ $\boxed{26}$ $+$ $\boxed{60}$

$=$ $\boxed{86}$

①

$15 + 3 \times 8 - 12 \div 6 =$ $\boxed{}$ $+$ $\boxed{}$ $-$ $\boxed{}$ $\div$ $\boxed{}$

$=$ $\boxed{}$ $+$ $\boxed{}$ $-$ $\boxed{}$

$=$ $\boxed{}$ $-$ $\boxed{}$

$=$ $\boxed{}$

②

$10 + 54 \div 9 \times 12 - 7 =$ $\boxed{}$ $+$ $\boxed{}$ $\times$ $\boxed{}$ $-$ $\boxed{}$

$=$ $\boxed{}$ $+$ $\boxed{}$ $-$ $\boxed{}$

$=$ $\boxed{}$ $-$ $\boxed{}$

$=$ $\boxed{}$

+, −, ×, ÷가 섞여 있는 식에서는 ×와 ÷를 먼저 계산해.

🐝 하나의 식으로 나타내고 답을 구하세요.

⭐ 주우는 전체 쪽수가 360쪽인 과학책을 9일 동안 매일 같은 쪽수만큼 읽기로 했습니다. 첫째 날 11쪽씩 3번 읽었다면 첫째 날 읽지 못한 쪽수는 몇 쪽일까요?

식 : 360÷9−11×3=7   답 : 7쪽

(첫째 날 읽지 못한 쪽수)
= (하루에 읽으려고 했던 쪽수) − (첫째 날 읽은 쪽수)

① 지효는 한 상자에 16개씩 들어 있는 구슬 6상자를 똑같이 8묶음으로 나누어 한 묶음을 가졌습니다. 언니에게서 구슬 2개를 받았다면 지효가 가지고 있는 구슬은 몇 개일까요?

식 : _____   답 : _____

② 파프리카 1개의 무게는 250 g이고, 브로콜리 4개의 무게는 920 g입니다. 무 1개의 무게가 파프리카 3개의 무게와 브로콜리 1개의 무게의 합과 같다면 무 1개의 무게는 몇 g일까요?

식 : _____   답 : _____

③ 원주는 문구점에서 1자루에 900원인 빨간색 색연필 2자루와 4자루에 4800원인 초록색 색연필 3자루를 샀습니다. 원주가 지불한 돈은 모두 얼마일까요?

식 : _____   답 : _____

혼합 계산(2)

계산 순서를 나타내고 계산해 보세요.

☆

$(12+5) \times 3 - 42 \div 6 =$ $\boxed{17}$ $\times$ $\boxed{3}$ $-$ $\boxed{42}$ $\div$ $\boxed{6}$

$= \boxed{51} - \boxed{42} \div \boxed{6}$

$= \boxed{51} - \boxed{7}$

$= \boxed{44}$

①

$25 + 66 \div 3 \times (12-10) =$ $\boxed{}$ $+$ $\boxed{}$ $\div$ $\boxed{}$ $\times$ $\boxed{}$

$= \boxed{} + \boxed{} \times \boxed{}$

$= \boxed{} + \boxed{}$

$= \boxed{}$

②

$7 + 42 \div (6 \times 4 - 3) =$ $\boxed{}$ $+$ $\boxed{}$ $\div (\boxed{} - \boxed{})$

$= \boxed{} + \boxed{} \div \boxed{}$

$= \boxed{} + \boxed{}$

$= \boxed{}$

( )가 있으면 ( ) 안을 가장 먼저 계산해.

🪰 하나의 식으로 나타내고 답을 구하세요.

⭐ 공원에서 사탕 ⃝600개를 ⃝5일 동안 입장객에게 매일 똑같은 수만큼 나누어 주려고 합니다. 첫날 오전에 어른 ⃝15명과 어린이 ⃝24명에게 사탕을 각각 ⃝2개씩 나누어 주었습니다. 첫날 오후에 나누어 줄 수 있는 사탕은 몇 개일까요?

식 : $600 \div 5 - (15 + 24) \times 2 = 42$ 답 : 42개

(첫날 오후에 나누어 줄 수 있는 사탕 수)

= (첫날 나누어 줄 수 있는 사탕 수) - (첫날 오전에 나누어 준 사탕 수)

① 현호는 친구들과 함께 분식집에 가서 1인분에 2000원인 떡볶이 3인분과 한 줄에 2500원인 김밥 2줄을 사 먹었습니다. 음식값을 4명이 똑같이 나누어 낸다면 한 사람이 얼마를 내야 할까요?

식 : _____   답 : _____

② 서울에서 여수까지 거리는 350 km입니다. 겨울이네 가족은 서울에서 출발하여 한 시간에 80 km를 가는 속력으로 2시간을 간 후 한 시간에 70 km를 가는 속력으로 1시간을 더 갔습니다. 남은 거리는 한 시간에 60 km를 가는 속력으로 가려고 할 때 여수까지 몇 시간을 더 가야 할까요?

식 : _____   답 : _____

③ 사과 1개에 1500원, 귤 1개에 700원, 포도 3송이에 12000원입니다. 준희는 사과와 귤을 각각 4개씩 사고, 민진이는 포도 1송이를 샀습니다. 준희가 쓴 돈은 민진이가 쓴 돈보다 얼마나 많을까요?

식 : _____   답 : _____

✿ □가 있는 식을 쓰고 답을 구하세요.

☆ 어떤 수에 5를 곱하고 4를 더했더니 34가 되었습니다. 어떤 수는 얼마일까요?

식 : $\square \times 5 + 4 = 34$ 답 :   6

□ × 5 = 34 - 4 = 30 이므로 □ = 6

① 어떤 수보다 6 작은 수를 7배 하였더니 28이 되었습니다. 어떤 수는 얼마일까요?

식 : _____   답 : _____

② 어떤 수의 3배에 36을 9로 나눈 몫을 더했더니 25가 되었습니다. 어떤 수는 얼마일까요?

식 : _____   답 : _____

③ 6에 어떤 수를 곱한 수를 19와 7의 차로 나누었더니 4가 되었습니다. 어떤 수는 얼마일까요?

식 : _____   답 : _____

계산할 수 있는 부분은 먼저 계산해.

☀ □가 있는 식을 쓰고 답을 구하세요.

✪ 20 L의 물이 들어 있는 욕조에 ㉮, ㉯ 두 수도꼭지를 동시에 틀어 20분 동안 물을 받았더니 180 L가 되었습니다. ㉮ 수도꼭지에서 1분에 5 L의 물이 나올 때 ㉯ 수도꼭지에서는 1분에 몇 L의 물이 나올까요?

식 : __20+(5+□)×20=180__   답 : __3 L__

(5 + □) × 20 = 160, 5 + □ = 8

① 주빈이의 나이에 6배를 하고 10을 더한 후 2로 나누면 어머니의 나이가 됩니다. 어머니의 나이가 41살일 때 주빈이의 나이는 몇 살일까요?

식 : _____   답 : _____

② 패스트푸드점에서 2000원짜리 햄버거 1개와 콜라 1병을 세트로 함께 판매합니다. 3세트를 산 가격이 9600원일 때 콜라 1병의 값은 얼마일까요?

식 : _____   답 : _____

③ 원영이는 편의점에서 500원짜리 사탕 4개와 소시지 6개를 사고 4000원을 냈습니다. 거스름돈으로 200원을 받았다면 소시지 한 개의 값은 얼마일까요?

식 : _____   답 : _____

✎ 계산 순서를 나타내고 계산해 보세요.

①
$$5+(23-7)\times4= \boxed{} + \boxed{} \times \boxed{}$$
$$= \boxed{} + \boxed{}$$
$$= \boxed{}$$

②
$$26+7\times2-24\div3= \boxed{} + \boxed{} - \boxed{} \div \boxed{}$$
$$= \boxed{} + \boxed{} - \boxed{}$$
$$= \boxed{} - \boxed{}$$
$$= \boxed{}$$

③
$$13+64\div8\times(25-16)= \boxed{} + \boxed{} \div \boxed{} \times \boxed{}$$
$$= \boxed{} + \boxed{} \times \boxed{}$$
$$= \boxed{} + \boxed{}$$
$$= \boxed{}$$

✎ 하나의 식으로 나타내고 답을 구하세요.

④ 정현이는 일주일 동안 매일 수학 문제를 12문제씩 풀었고, 해솔이는 10일 동안 매일 수학 문제를 8문제씩 풀었습니다. 두 사람이 푼 수학 문제는 모두 몇 문제일까요?

식 : _____   답 : _____

⑤ 자동차 63대를 주차할 수 있는 주차장에 자동차가 한 줄에 9대씩 6줄로 주차되어 있습니다. 이 중에서 12대가 빠져나갔다면 앞으로 주차할 수 있는 자동차는 몇 대일까요?

식 : _____   답 : _____

⑥ 젤리는 3개에 3600원이고 마카롱은 5개에 5500원입니다. 젤리 한 개는 마카롱 한 개보다 얼마나 더 비쌀까요?

식 : _____   답 : _____

⑦ 문호는 연필을 68자루 가지고 있습니다. 그중에서 민주에게 11자루, 호인이에게 15자루를 주고 나머지를 6개의 봉지에 똑같이 나누어 담았습니다. 봉지 한 개에 담은 연필은 몇 자루일까요?

식 : _____   답 : _____

✎ 하나의 식으로 나타내고 답을 구하세요.

⑧ 경서는 한 상자에 14권씩 들어 있는 공책 8상자를 똑같이 7묶음으로 나누어 한 묶음을 가졌습니다. 동생에게 공책 5권을 주었다면 경서가 가지고 있는 공책은 몇 권일까요?

식 : _____   답 : _____

⑨ 박물관에서 기념품 600개를 5일 동안 관람객에게 매일 똑같은 수만큼 나누어 주려고 합니다. 첫날 오전에 남자 11명과 여자 26명에게 기념품을 2개씩 나누어 주었습니다. 첫날 오후에 나누어 줄 수 있는 기념품은 몇 개일까요?

식 : _____   답 : _____

✎ □가 있는 식을 쓰고 답을 구하세요.

⑩ 문구점에서 1100원짜리 공책 1권과 연필 1자루를 세트로 함께 판매합니다. 6세트를 산 가격이 10200원일 때 연필 1자루의 값은 얼마일까요?

식 : _____   답 : _____

⑪ 서연이 나이에 7배를 하고 6을 뺀 후 2로 나누면 아버지의 나이가 됩니다. 아버지의 나이가 39살일 때 서연이의 나이는 몇 살일까요?

식 : _____   답 : _____

3주차

약수와 배수

✿ □ 안에 알맞은 수를 써넣으세요.

✪ 8의 약수를 나눗셈을 이용하여 구해 보면

8÷1=8, 8÷ 2 =4, 8÷ 4 =2, 8÷ 8 =1 이므로

8의 약수는 1 , 2 , 4 , 8 입니다.

① 15의 약수를 나눗셈을 이용하여 구해 보면

15÷1=15, 15÷☐=5, 15÷☐=3, 15÷☐=1 이므로

15의 약수는 ☐ , ☐ , ☐ , ☐ 입니다.

② 12의 약수를 나눗셈을 이용하여 구해 보면

12÷1=12, 12÷☐=6, 12÷☐=4, 12÷☐=3, 12÷☐=12, 12÷☐=1 이므로

12의 약수는 ☐ , ☐ , ☐ , ☐ , ☐ , ☐ 입니다.

③ 16의 약수를 나눗셈을 이용하여 구해 보면

16÷1=16, 16÷☐=8, 16÷☐=4, 16÷☐=2, 16÷☐=1 이므로

16의 약수는 ☐ , ☐ , ☐ , ☐ , ☐ 입니다.

✿ 다음 물음에 답하세요.

❂ 연필 35자루를 학생들에게 남김없이 똑같이 나누어 주려고 합니다. 나누어 줄 수 있는 학생 수를 모두 구하세요.

35의 약수: 1, 5, 7, 35

답 : **1명, 5명, 7명, 35명**

① 10을 어떤 수로 나누었더니 나누어떨어졌습니다. 10을 나누어떨어지게 하는 수를 모두 구하세요.

답 : _____

② 아이스크림 18개를 친구들에게 남김없이 똑같이 나누어 주려고 합니다. 친구들에게 나누어 주는 방법은 모두 몇 가지일까요?

답 : _____

③ 나영이는 사과 42개를 여러 개의 접시에 남김없이 똑같이 나누어 담으려고 합니다. 사과를 접시에 나누어 담는 방법은 모두 몇 가지일까요? (단, 1개보다 많은 접시를 사용합니다.)

답 : _____

□ 안에 알맞은 수를 써넣으세요.

✪ 6의 배수를 곱셈을 이용하여 구해 보면

$6 \times 1 = 6$, $6 \times 2 = \boxed{12}$, $6 \times 3 = \boxed{18}$, $6 \times 4 = \boxed{24}$, …… 이므로

6의 배수를 가장 작은 수부터 4개 쓰면 $\boxed{6}$, $\boxed{12}$, $\boxed{18}$, $\boxed{24}$ 입니다.

① 4의 배수를 곱셈을 이용하여 구해 보면

$4 \times 1 = 4$, $4 \times 2 = \boxed{}$, $4 \times 3 = \boxed{}$, $4 \times 4 = \boxed{}$, …… 이므로

4의 배수를 가장 작은 수부터 4개 쓰면 $\boxed{}$, $\boxed{}$, $\boxed{}$, $\boxed{}$ 입니다.

② 9의 배수를 곱셈을 이용하여 구해 보면

$9 \times 1 = 9$, $9 \times 2 = \boxed{}$, $9 \times 3 = \boxed{}$, $9 \times 4 = \boxed{}$, …… 이므로

9의 배수를 가장 작은 수부터 4개 쓰면 $\boxed{}$, $\boxed{}$, $\boxed{}$, $\boxed{}$ 입니다.

③ 14의 배수를 곱셈을 이용하여 구해 보면

$14 \times 1 = 14$, $14 \times 2 = \boxed{}$, $14 \times 3 = \boxed{}$, $14 \times 4 = \boxed{}$, …… 이므로

14의 배수를 가장 작은 수부터 4개 쓰면 $\boxed{}$, $\boxed{}$, $\boxed{}$, $\boxed{}$ 입니다.

(□의 배수)= (□를 1배, 2배, 3배, ... 한 수)

🍪 다음 물음에 답하세요.

⭐ 터미널에서 공원으로 가는 버스가 오후 3시부터 8분 간격으로 출발합니다. 오후 4시까지 버스는 몇 번 출발할까요?

8의 배수: 8, 16, 24, 32, 40, 48, 56, ...

출발 시각: 3시, 3시 8분, 3시 16분, 3시 24분,
　　　　　 3시 32분, 3시 40분, 3시 48분, 3시 56분

답 : _____8번_____

① 1부터 40까지의 수 중에서 7로 나누어떨어지는 수를 모두 구하세요.

답 : _____

② 정수는 3월 한 달 동안 6의 배수인 날마다 봉사활동을 하기로 했습니다. 정수가 봉사활동을 하는 날 수는 모두 며칠일까요?

답 : _____

③ 미주는 5일에 한 번씩 피아노 학원에 다닙니다. 4월 2일에 처음으로 학원에 갔다면 네 번째로 학원에 간 날은 몇 월 며칠일까요?

답 : _____

🐝 □ 안에 알맞은 수를 써넣으세요.

⭐ 18을 두 수의 곱으로 나타내면

$\boxed{1}$ × $\boxed{18}$ =18, $\boxed{2}$ × $\boxed{9}$ =18, $\boxed{3}$ × $\boxed{6}$ =18

⇨ 18은 $\boxed{1}$, $\boxed{2}$, $\boxed{3}$, $\boxed{6}$, $\boxed{9}$, $\boxed{18}$ 의 배수이고

$\boxed{1}$, $\boxed{2}$, $\boxed{3}$, $\boxed{6}$, $\boxed{9}$, $\boxed{18}$ 은/는 18의 약수입니다.

① 12를 두 수의 곱으로 나타내면

$\boxed{}$ × $\boxed{}$ =12, $\boxed{}$ × $\boxed{}$ =12, $\boxed{}$ × $\boxed{}$ =12

⇨ 12는 $\boxed{}$, $\boxed{}$, $\boxed{}$, $\boxed{}$, $\boxed{}$, $\boxed{}$ 의 배수이고

$\boxed{}$, $\boxed{}$, $\boxed{}$, $\boxed{}$, $\boxed{}$, $\boxed{}$ 은/는 12의 약수입니다.

② 56을 두 수의 곱으로 나타내면

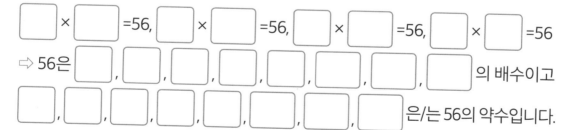

$\boxed{}$ × $\boxed{}$ =56, $\boxed{}$ × $\boxed{}$ =56, $\boxed{}$ × $\boxed{}$ =56, $\boxed{}$ × $\boxed{}$ =56

⇨ 56은 $\boxed{}$, $\boxed{}$, $\boxed{}$, $\boxed{}$, $\boxed{}$, $\boxed{}$, $\boxed{}$ 의 배수이고

$\boxed{}$, $\boxed{}$, $\boxed{}$, $\boxed{}$, $\boxed{}$, $\boxed{}$, $\boxed{}$ 은/는 56의 약수입니다.

■ = ▲ × ● →
■는 ▲와 ●의 배수,
▲와 ●는 ■의 약수

🐝 다음 물음에 답하세요

⭐ ⑤의 배수인 어떤 수가 있습니다. 이 수의 약수들을 모두 더하였더니 ㉔가 되었습니다. 어떤 수를 구하세요.

5의 배수: 5, 10, 15, ……
15의 약수: 1, 3, 5, 15
15의 약수의 합: 1 + 3 + 5 + 15 = 24

답 : _____15_____

① 6의 배수인 어떤 수가 있습니다. 이 수의 약수들을 모두 더하였더니 39가 되었습니다. 어떤 수를 구하세요.

답 : _____

② 3의 배수이면서 24의 약수인 어떤 수가 있습니다. 이 수는 10보다 크고 15보다 작습니다. 어떤 수를 구하세요.

답 : _____

③ 7의 배수이면서 42의 약수인 어떤 수가 있습니다. 이 수는 10보다 크고 25보다 작은 홀수입니다. 어떤 수를 구하세요.

답 : _____

□ 안에 알맞은 수를 써넣으세요.

☆ **12, 18**

12의 약수는 1 , 2 , 3 , 4 , 6 , 12 이고

18의 약수는 1 , 2 , 3 , 6 , 9 , 18 입니다.

⇨ 12와 18의 공약수는 1 , 2 , 3 , 6 입니다.

① **8, 16**

8의 약수는 □ , □ , □ , □ 이고

16의 약수는 □ , □ , □ , □ , □ 입니다.

⇨ 8과 16의 공약수는 □ , □ , □ , □ 입니다.

② **28, 42**

28의 약수는 □ , □ , □ , □ , □ , □ 이고

42의 약수는 □ , □ , □ , □ , □ , □ , □ , □ 입니다.

⇨ 28과 42의 공약수는 □ , □ , □ , □ 입니다.

■와 ▲의 공통된 약수를 ■와 ▲의 공약수 라고 해.

다음에 물음에 답하세요.

✪ 연필 16자루와 공책 24권을 친구들에게 남김없이 똑같이 나누어 주려고 합니다. 몇 명의 친구들에게 나누어 줄 수 있는지 모두 구하세요.

16과 24의 공약수: 1, 2, 4, 8

답 : **1명, 2명, 4명, 8명**

① 18과 30을 어떤 수로 나누면 두 수 모두 나누어떨어집니다. 어떤 수를 모두 구하세요.

답 : _____

② 과자 27개와 초콜릿 45개를 친구들에게 남김없이 똑같이 나누어 주려고 합니다. 몇 명의 친구들에게 나누어 줄 수 있는지 모두 구하세요.

답 : _____

③ 가로가 36 cm, 세로가 48 cm인 직사각형 모양의 종이가 있습니다. 이 종이를 남김없이 잘라 크기가 같은 정사각형 모양을 여러 장 만들려고 합니다. 만들 수 있는 정사각형의 한 변의 길이를 모두 구하세요.

답 : _____

✿ ☐ 안에 알맞은 수를 써넣으세요.

⭐ **4, 6**

4의 배수는 4 , 8 , 12 , 16 , 20 , 24 , ⋯⋯ 이고

6의 배수는 6 , 12 , 18 , 24 , 30 , 36 , ⋯⋯ 입니다.

⇨ 4와 6의 공배수를 작은 것부터 2개 쓰면 12 , 24 입니다.

① **5, 15**

5의 배수는 ☐ , ☐ , ☐ , ☐ , ☐ , ☐ ⋯⋯ 이고

15의 배수는 ☐ , ☐ , ☐ , ☐ , ☐ , ☐ , ⋯⋯ 입니다.

⇨ 5와 15의 공배수를 작은 것부터 2개 쓰면 ☐ , ☐ 입니다.

② **9, 12**

9의 배수는 ☐ , ☐ , ☐ , ☐ , ☐ , ☐ , ☐ , ☐ ⋯⋯ 이고

12의 배수는 ☐ , ☐ , ☐ , ☐ , ☐ , ☐ , ☐ , ☐ , ⋯⋯ 입니다.

⇨ 9와 12의 공배수를 작은 것부터 2개 쓰면 ☐ , ☐ 입니다.

■와 ▲의 공통된 배수를 ■와 ▲의 공배수라고 해.

✿ 다음 물음에 답하세요.

⭐ 수영장을 지혜는 ④일마다, 윤주는 ⑥일마다 다닙니다. 3월 31일에 두 사람이 수영장에서 만났다고 할 때 4월 한 달 동안 두 사람이 만난 날은 언제인지 모두 구하세요.

4와 6의 공배수: 12, 24, 36, ……

답 : __4월 12일, 4월 24일__

① 1부터 50까지의 수 중에서 4로 나누어도 나누어떨어지고, 10으로 나누어도 나누어떨어지는 수를 모두 구하세요.

답 : _____

② 영지와 호인이는 운동장을 일정한 속력으로 걷고 있습니다. 영지는 3분마다, 호인이는 5분마다 운동장을 한 바퀴 돕니다. 두 사람이 출발점에서 같은 방향으로 동시에 출발할 때 출발 후 40분 동안 출발점에서 몇 번 다시 만나는지 구하세요.

답 : _____

③ 가로가 6 cm, 세로가 8 cm인 직사각형 모양의 종이를 겹치는 부분 없이 늘어놓아 한 변의 길이가 100 cm보다 짧은 정사각형을 만들려고 합니다. 만들 수 있는 정사각형의 한 변의 길이를 모두 구하세요.

답 : _____

✎ 다음 물음에 답하세요.

① 사탕 12개를 친구들에게 남김없이 똑같이 나누어 주려고 합니다. 나누어 줄 수 있는 친구 수를 모두 구하세요.

답 : _____

② 원영이는 참외 28개를 여러 개의 바구니에 남김없이 똑같이 나누어 담으려고 합니다. 참외를 바구니에 나누어 담는 방법은 모두 몇 가지일까요? (단, 1개보다 많은 바구니를 사용합니다.)

답 : _____

③ 집 앞에서 시청으로 가는 버스가 오후 1시부터 7분 간격으로 출발합니다. 오후 1시부터 오후 2시까지 버스는 몇 번 출발할까요?

답 : _____

④ 미주는 4일에 한 번씩 마술 학원에 다닙니다. 6월 3일에 처음으로 학원에 갔다면 다섯 번째로 학원에 간 날은 몇 월 며칠일까요?

답 : _____

✎ □ 안에 알맞은 수를 써넣으세요.

⑤ 28을 두 수의 곱으로 나타내면

□ × □ =28, □ × □ =28, □ × □ =28

⇨ 28은 □ , □ , □ , □ , □ 의 배수이고

□ , □ , □ , □ , □ , □ 은/는 28의 약수입니다.

⑥ 54를 두 수의 곱으로 나타내면

□ × □ =54, □ × □ =54, □ × □ =54, □ × □ =54

⇨ 54는 □ , □ , □ , □ , □ , □ , □ , □ 의 배수이고

□ , □ , □ , □ , □ , □ , □ , □ 은/는 54의 약수입니다.

✎ 다음 물음에 답하세요.

⑦ 4의 배수인 어떤 수가 있습니다. 이 수의 약수들을 모두 더하였더니 28이 되었습니다. 어떤 수를 구하세요.

답 : _____

⑧ 6의 배수이면서 48의 약수인 어떤 수가 있습니다. 이 수는 20보다 크고 35보다 작습니다. 어떤 수를 구하세요.

답 : _____

✎ 다음 물음에 답하세요.

⑨ 16과 40을 어떤 수로 나누면 두 수 모두 나누어떨어집니다. 어떤 수를 모두 구하세요.

답 : _____

⑩ 사탕 24개와 젤리 30개를 학생들에게 남김없이 똑같이 나누어 주려고 합니다. 몇 명의 학생들에게 나누어 줄 수 있는지 모두 구하세요.

답 : _____

⑪ 1부터 100까지의 수 중에서 6으로 나누어도 나누어떨어지고, 8로 나누어도 나누어떨어지는 수를 모두 구하세요.

답 : _____

⑫ 수영장을 효진이는 2일마다, 명옥이는 3일마다 다닙니다. 4월 1일에 두 사람이 수영장에서 만났다고 할 때 4월 한 달 동안 두 사람이 만난 날은 언제인지 모두 구하세요.

답 : _____

공약수와 최대공약수

🌸 □ 안에 알맞은 수를 써넣으세요.

⭐ 12와 30의 최대공약수는 **6** 입니다.

최대공약수: 2 × 3 = 6

2)	**12**	**30**
3)	6	15
	2	5

① 4와 14의 최대공약수는 □ 입니다.

□)	**4**	**14**
	□	□

② 9와 27의 최대공약수는 □ 입니다.

□)	**9**	**27**
□)	□	□
	□	□

③ 20과 50의 최대공약수는 □ 입니다.

□)	**20**	**50**
□)	□	□
	□	□

(두 수의 최대 공약수의 약수)=
(두 수의 공약수)

✿ 최대공약수를 구하는 식을 완성하고 답을 구하세요.

✪ 최대공약수를 이용하여 10과 30의 공약수를 구하세요.

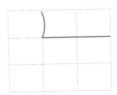

답 : <u> 1, 2, 5, 10 </u>

10과 30의 최대공약수: 2 × 5 = 10

① 최대공약수를 이용하여 14와 21의 공약수를 구하세요.

답 : _____

② 최대공약수를 이용하여 12와 18의 공약수를 구하세요.

답 : _____

③ 최대공약수를 이용하여 36과 48의 공약수를 구하세요.

답 : _____

최대공약수의 활용

🦋 알맞은 식을 쓰고 답을 구하세요.

⭐ 빨간 구슬 ⑫개와 파란 구슬 ⑱개를 ⟮최대한 많은⟯ 친구에게 남김없이 똑같이 나누어 주려고 합니다. 최대 몇 명의 친구에게 나누어 줄 수 있을까요?

식 :    답 : __6명__

12와 18의 최대공약수: 6

① 연필 20자루와 지우개 28개를 최대한 많은 모둠에게 남김없이 똑같이 나누어 주려고 합니다. 최대 몇 개 모둠까지 나누어 줄 수 있을까요?

식 : 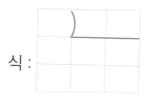   답 : _____

② 빵 15개와 초콜릿 75개를 최대한 많은 접시에 남김없이 똑같이 나누어 담으려고 합니다. 최대 몇 개의 접시에 나누어 담을 수 있을까요?

식 : 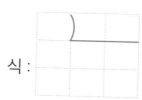   답 : _____

③ 가로가 42 cm, 세로가 28 cm인 직사각형 모양의 종이를 크기가 같은 정사각형 모양으로 남는 부분없이 자르려고 합니다. 자를 수 있는 가장 큰 정사각형의 한 변의 길이는 몇 cm일까요?

식 :    답 : _____

'최대한',
'될 수 있는 대로 많은(큰)'
이라는 말이 들어가면
최대공약수를 이용해

🎨 다음 물음에 답하세요.

⭐ 사과 12개와 참외 20개를 최대한 많은 학생에게 남김없이 똑같이 나누어 주려고
합니다. 한 학생이 사과와 참외를 각각 몇 개씩 받을 수 있나요?

12와 20의 최대공약수가 4이므로

최대 4명의 학생에게 나누어 줄 수 있습니다.

사과: 12 ÷ 4 = 3(개), 참외: 20 ÷ 4 = 5(개)

답 : __사과 3개, 참외 5개__

① 야구공 15개와 테니스공 21개를 최대한 많은 사람에게 남김없이 똑같이 나누어
주려고 합니다. 한 사람이 야구공과 테니스공을 각각 몇 개씩 받을 수 있나요?

답 : _____

② 사탕 24개와 젤리 54개를 최대한 많은 바구니에 남김없이 똑같이 나누어 담으려
고 합니다. 한 바구니에 사탕과 젤리를 각각 몇 개씩 담을 수 있나요?

답 : _____

③ 가로가 24 cm, 세로가 32 cm인 직사각형 모양의 종이를 크기가 같은 정사각형
모양으로 남는 부분 없이 자르려고 합니다. 가장 큰 정사각형 모양으로 자를 때 모
두 몇 장으로 자를 수 있을까요?

답 : _____

🐝 □ 안에 알맞은 수를 써넣으세요.

✪ 18과 24의 최소공배수는 72 입니다.

최소공배수: 2 × 3 × 3 × 4 =72

2	18	24
3	9	12
	3	4

① 6과 10의 최소공배수는 □ 입니다.

□	6	10
	□	□

② 9와 36의 최소공배수는 □ 입니다.

□	9	36
□	□	□
	□	□

③ 28과 42의 최소공배수는 □ 입니다.

□	28	42
□	□	□
	□	□

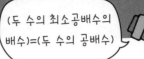

(두 수의 최소공배수의 배수)=(두 수의 공배수)

🐝 최소공배수를 구하는 식을 완성하고 답을 구하세요.

✪ 최소공배수를 이용하여 8과 12의 공배수를 작은 것부터 3개 구하세요.

답 : __24, 48, 72__

8과 12의 최소공배수: 2 × 2 × 2 × 3 = 24

① 최소공배수를 이용하여 14와 35의 공배수를 작은 것부터 3개 구하세요.

답 : _____

② 최소공배수를 이용하여 12와 18의 공배수를 작은 것부터 3개 구하세요.

답 : _____

③ 최소공배수를 이용하여 15와 45의 공배수를 작은 것부터 3개 구하세요.

답 : _____

🎨 알맞은 식을 쓰고 답을 구하세요.

⭐ 민지는 ④일마다 피아노 학원에 가고 ⑥일마다 미술 학원에 갑니다. 오늘 피아노 학원과 미술 학원에 갔을 때 다음번에 (동시에) 가는 날은 며칠 후일까요?

식 :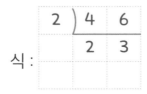

$$2 \overline{)\begin{array}{cc} 4 & 6 \end{array}}$$
$$\begin{array}{cc} 2 & 3 \end{array}$$

답 : ___12일 후___

4와 6의 최소공배수: 12

① 자명종 시계는 3시간마다, 뻐꾸기 시계는 5시간마다 울리게 하였습니다. 두 시계가 동시에 울리는 것은 몇 시간마다일까요?

식 : 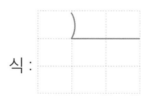   답 : _____

② 도로 위에 시작점을 같이하여 해바라기는 18 m 간격으로, 개나리는 24 m 간격으로 심으려고 합니다. 시작점 이후에 두 꽃을 처음으로 같이 심게 되는 곳은 시작점으로부터 몇 m 떨어진 곳일까요?

식 : 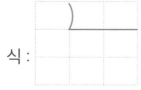   답 : _____

③ 가로가 12 cm, 세로가 8 cm인 직사각형 모양의 종이를 겹치지 않게 이어 붙여 가장 작은 정사각형을 만들었습니다. 만든 정사각형의 한 변의 길이는 몇 cm일까요?

식 :   답 : _____

'될 수 있는 대로 적은 (작은)', '동시에'라는 말이 들어가면 최소 공배수를 이용해.

🎨 다음 물음에 답하세요.

✪ 터미널에서 부산행은 ⑩분마다, 광주행은 ⑮분마다 출발합니다. 오전 8시에 부산행과 광주행 버스가 동시에 출발하였습니다. 다음번에 두 버스가 ⟨동시에 출발⟩하는 시각은 오전 몇 시 몇 분일까요?

답 : __오전 8시 30분__

10과 15의 최소공배수가 30이므로

다음번에 두 버스가 동시에 출발하는 시각은

8시 + 30분 = 8시 30분

① 지율이와 연우가 원 모양의 공원 둘레를 일정한 빠르기로 걷고 있습니다. 지율이는 16분마다, 연우는 20분마다 공원을 한 바퀴 돕니다. 두 사람이 오후 2시에 공원 입구에서 같은 방향으로 동시에 출발할 때 다음번에 두 사람이 공원 입구에서 만나는 시각은 오후 몇 시 몇 분일까요?

답 : _____

② 바이올린 학원을 민수는 4일마다, 경옥이는 6일마다 다닙니다. 두 사람이 5월 1일에 학원에 동시에 갔습니다. 다음번에 학원에서 만나는 날은 몇 월 며칠일까요?

답 : _____

③ 치과 정기 진료를 효연이는 2개월마다 한 번씩, 승원이는 5개월마다 한 번씩 합니다. 2021년 8월에 두 사람이 치과 정기 진료를 동시에 했다면 다음번에 두 사람이 동시에 하는 때는 몇 년 몇 월일까요?

답 : _____

최대공약수와 최소공배수의 활용

❀ 알맞은 풀이를 쓰고 답을 구하세요.

✪ 햄버거 30개와 콜라 15병을 최대한 많은 학생에게 남김없이 똑같이 나누어 주려고 합니다. 햄버거와 콜라를 최대 몇 명에게 나누어 줄 수 있을까요?

풀이 :

$$
\begin{array}{r|ll}
3 & 30 & 15 \\
5 & 10 & 5 \\
\hline
& 2 & 1
\end{array}
$$

30과 15의 최대공약수가 3×5=15이므로
햄버거와 콜라를 최대 15명에게 나누어 줄 수 있습니다.

답 : __15명__

① 위인전 24권과 과학책 42권을 최대한 많은 책꽂이에 남김없이 똑같이 나누어 꽂으려고 합니다. 위인전과 과학책을 최대 몇 개의 책꽂이에 나누어 꽂을 수 있을까요?

풀이 :

답 : _____

② 지윤이는 6일마다 호인이는 10일마다 자전거를 타러 공원에 갑니다. 지윤이와 호인이가 오늘 공원에 같이 갔다면 다음번에 두 사람이 공원에 같이 가는 날은 며칠 후일까요?

풀이 :

답 : _____

③ 희영이네 가족은 8주마다, 주환이네 가족은 12주마다 봉사 활동을 합니다. 이번 주에 두 가족이 함께 봉사 활동을 했다면 다음번에 두 가족이 함께 봉사활동을 하는 때는 몇 주 후일까요?

풀이 :

답 : _____

✎ □ 안에 알맞은 수를 써넣으세요.

① 6과 15의 최대공약수는 □ 입니다.

$$\begin{array}{r} \boxed{}\ )\ \underline{\ 6\quad 15\ } \\ \boxed{}\ \boxed{} \end{array}$$

② 10과 30의 최대공약수는 □ 입니다.

$$\begin{array}{r} \boxed{}\ )\ \underline{\ 10\quad 30\ } \\ \boxed{}\ )\ \underline{\ \boxed{}\quad \boxed{}\ } \\ \boxed{}\quad \boxed{} \end{array}$$

✎ 다음 물음에 답하세요.

③ 귤 12개와 딸기 18개를 최대한 많은 모둠에게 남김없이 똑같이 나누어 주려고 합니다. 최대 몇 개 모둠까지 나누어 줄 수 있을까요?

답 : _____

④ 배구공 20개와 축구공 30개를 최대한 많은 사람에게 남김없이 똑같이 나누어 주려고 합니다. 한 사람이 배구공과 축구공을 각각 몇 개씩 받을 수 있나요?

답 : _____

✎ □ 안에 알맞은 수를 써넣으세요.

⑤ 8과 14의 최소공배수는 □ 입니다.

$$\boxed{}\,)\,\begin{array}{cc} \mathbf{8} & \mathbf{14} \end{array}$$

⑥ 14와 42의 최소공배수는 □ 입니다.

$$\boxed{}\,)\,\begin{array}{cc} \mathbf{14} & \mathbf{42} \end{array}$$

✎ 다음 물음에 답하세요.

⑦ 도로 위에 시작점을 같이하여 장미는 12 m 간격으로, 튤립은 16 m 간격으로 심으려고 합니다. 시작점 이후에 두 꽃을 처음으로 같이 심게 되는 곳은 시작점으로부터 몇 m 떨어진 곳일까요?

답 : _____

⑧ 터미널에서 대전행은 16분마다, 춘천행은 24분마다 출발합니다. 오전 10시에 대전행과 춘천행 버스가 동시에 출발하였습니다. 다음번에 두 버스가 동시에 출발하는 시각은 오전 몇 시 몇 분일까요?

답 : _____

✎ 알맞은 풀이를 쓰고 답을 구하세요.

⑨ 동화책 16권과 세계 명작 20권을 최대한 많은 책꽂이에 남김없이 똑같이 나누어 꽂으려고 합니다. 동화책과 세계 명작을 최대 몇 개의 책꽂이에 나누어 꽂을 수 있을까요?

풀이 :

답 : _____

⑩ 소연이는 6일마다 유미는 8일마다 도서관에 갑니다. 소연이와 유미가 오늘 도서관에 같이 갔다면 다음번에 두 사람이 도서관에 같이 가는 날은 며칠 후일까요?

풀이 :

답 : _____

진단평가

진단평가에는 앞에서 학습한 4주차의 문장제 활동이 순서대로 나옵니다. 잘못 푼 문제가 있으면 몇 주차인지 확인하여 반드시 한 번 더 복습해 봅니다.

1주차	3주차
2주차	4주차

✎ 하나의 식으로 나타내고 답을 구하세요.

① 학급 문고에는 동화책 38권, 과학책 24권이 있습니다. 준구는 이 중에서 17권을 읽었다면 아직 읽지 않은 책은 몇 권일까요?

식 : _____   답 : _____

② 찬원이는 가지고 있던 돈 5400원으로 1300원짜리 공책 1권를 산 후 할머니에게 2700원 받았습니다. 찬원이가 지금 가지고 있는 돈은 얼마일까요?

식 : _____   답 : _____

✎ 하나의 식으로 나타내고 답을 구하세요.

③ 준정이네 반 학생 25명은 8명씩 2모둠으로 나누어 피구를 하고 나머지는 다른 반 학생 5명과 응원을 했습니다. 응원한 학생은 모두 몇 명일까요?

식 : _____   답 : _____

④ 지우개 45개를 수은이네 모둠 3명과 정현이네 모둠 4명에게 5개씩 나누어 주었습니다. 남은 지우개는 몇 개일까요?

식 : _____   답 : _____

✎ 다음 물음에 답하세요.

⑤ 카스테라 18개와 쿠키 24개를 친구들에게 남김없이 똑같이 나누어 주려고 합니다. 몇 명의 친구들에게 나누어 줄 수 있는지 모두 구하세요.

답 : _____

⑥ 가로가 28 cm, 세로가 42 cm인 직사각형 모양의 종이가 있습니다. 이 종이를 남김없이 잘라 크기가 같은 정사각형 모양을 여러 장 만들려고 합니다. 만들 수 있는 정사각형의 한 변의 길이를 모두 구하세요.

답 : _____

✎ 알맞은 풀이를 쓰고 답을 구하세요.

⑦ 삼각김밥 24개와 주스 30개를 최대한 많은 학생에게 남김없이 똑같이 나누어 주려고 합니다. 삼각김밥과 주스를 최대 몇 명에게 나누어 줄 수 있을까요?

풀이 :

답 : _____

✏️ 하나의 식으로 나타내고 답을 구하세요.

① 어느 문구점에서 연필을 오전에 39자루, 오후에 48자루 팔았습니다. 처음 문구점에 있던 연필이 146자루일 때, 문구점에 남아 있는 연필은 몇 자루일까요?

식 : _____   답 : _____

② 자영이는 700원짜리 과자 1개와 1400원짜리 빵 1개를 사고 5000원을 냈습니다. 자영이가 받은 거스름돈은 얼마일까요?

식 : _____   답 : _____

✏️ 하나의 식으로 나타내고 답을 구하세요.

③ 민주는 바둑돌을 14개 가지고 있습니다. 엄마에게 바둑돌 22개를 받은 후 주머니 4개에 똑같이 나누어 담았습니다. 한 주머니에서 바둑돌 3개를 꺼냈다면 그 주머니에 남은 바둑돌은 몇 개일까요?

식 : _____   답 : _____

④ 채소 가게에서 6개에 1440 g인 오이 1개와 4개에 1080 g인 당근 1개를 샀습니다. 구입한 채소의 무게는 모두 몇 g일까요? (같은 채소 1개의 무게는 서로 같습니다.)

식 : _____   답 : _____

✎ 다음 물음에 답하세요.

⑤ 피아노 학원을 지혜는 2일마다, 윤주는 5일마다 다닙니다. 5월 31일에 두 사람이 피아노 학원에서 만났다고 할 때 6월 한 달 동안 두 사람이 만난 날은 언제인지 모두 구하세요.

답 : _____

⑥ 가로가 12 cm, 세로가 8 cm인 직사각형 모양의 종이를 겹치는 부분 없이 늘어놓아 한 변의 길이가 100 cm보다 짧은 정사각형을 만들려고 합니다. 만들 수 있는 정사각형의 한 변의 길이를 모두 구하세요.

답 : _____

✎ 최소공배수를 구하는 식을 완성하고 답을 구하세요.

⑦ 최소공배수를 이용하여 12와 15의 공배수를 작은 것부터 3개 구하세요.

답 : _____

⑧ 최소공배수를 이용하여 18과 27의 공배수를 작은 것부터 3개 구하세요.

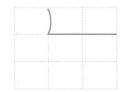

답 : _____

✎ 하나의 식으로 나타내고 답을 구하세요.

① 48명의 학생을 한 모둠에 6명씩 나누고 각 모둠에 사탕을 14개씩 나누어 주었습니다. 나누어 준 사탕은 모두 몇 개일까요?

식 : _____   답 : _____

② 연필 7타를 6명에게 똑같이 나누어 주면 한 사람이 몇 자루를 가질까요? (연필 한 타는 12자루입니다.)

식 : _____   답 : _____

✎ 하나의 식으로 나타내고 답을 구하세요.

③ 건호는 전체 쪽수가 560쪽인 위인전을 일주일 동안 매일 같은 쪽수만큼 읽기로 했습니다. 첫째 날 14쪽씩 4번 읽었다면 첫째 날 읽지 못한 쪽수는 몇 쪽일까요?

식 : _____   답 : _____

④ 어제는 장미 13송이씩 4묶음과 백합 7송이를 마당에 심고, 오늘은 튤립 54송이를 똑같이 6묶음으로 나눈 것 중에서 1묶음을 심었습니다. 어제 심은 꽃은 오늘 심은 꽃보다 몇 송이 더 많을까요?

식 : _____   답 : _____

✎ 다음 물음에 답하세요.

⑤ 16을 어떤 수로 나누었더니 나누어떨어졌습니다. 16을 나누어떨어지게 하는 수를 모두 구하세요.

답 : _____

⑥ 아이스크림 24개를 친구들에게 남김없이 똑같이 나누어 주려고 합니다. 친구들에게 나누어 주는 방법은 모두 몇 가지일까요?

답 : _____

✎ 다음 물음에 답하세요.

⑦ 가로가 4 cm, 세로가 12 cm인 직사각형 모양의 종이를 겹치지 않게 이어 붙여 가장 작은 정사각형을 만들었습니다. 만든 정사각형의 한 변의 길이는 몇 cm일까요?

답 : _____

⑧ 정기 시력 검사를 승주는 3개월마다 한 번씩, 단우는 5개월마다 한 번씩 합니다. 2021년 1월에 두 사람이 정기 시력 검사를 동시에 했다면 다음번에 두 사람이 동시에 하는 때는 몇 년 몇 월일까요?

답 : _____

✎ 하나의 식으로 나타내고 답을 구하세요.

① 딸기 224개를 한 상자에 7개씩 4줄로 담으려고 합니다. 딸기를 모두 담으려면 몇 상자가 필요할까요?

식 : _____ 답 : _____

② 한 사람이 한 시간에 눈오리를 6개씩 만들 수 있습니다. 4명이 눈오리 120개를 만들려면 몇 시간이 걸릴까요?

식 : _____ 답 : _____

✎ 하나의 식으로 나타내고 답을 구하세요.

③ 민준이는 친구들과 함께 편의점에 가서 1개에 1200원인 초콜릿 5개와 1개에 900원인 과자 4개를 사 먹었습니다. 간식비를 3명이 똑같이 나누어 낸다면 한 사람이 얼마를 내야 할까요?

식 : _____ 답 : _____

④ 지우개 1개에 400원, 자 1개에 500원, 연필 3자루에 2400원입니다. 정현이는 지우개와 자를 각각 6개씩 사고, 기석이는 연필 1자루를 샀습니다. 정현이가 쓴 돈은 기석이가 쓴 돈보다 얼마나 많을까요?

식 : _____ 답 : _____

✎ 다음 물음에 답하세요.

⑤ 1부터 30까지의 수 중에서 4로 나누어떨어지는 수를 모두 구하세요.

답 : _____

⑥ 수정이는 11월 한 달 동안 7의 배수인 날마다 수영장을 가기로 했습니다. 수정이가 수영장을 가는 날 수는 모두 며칠일까요?

답 : _____

✎ 최대공약수를 구하는 식을 완성하고 답을 구하세요.

⑦ 최대공약수를 이용하여 14와 42의 공약수를 구하세요.

답 : _____

⑧ 최대공약수를 이용하여 36과 54의 공약수를 구하세요.

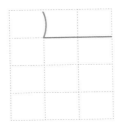

답 : _____

✎ 식에 알맞은 문제를 만든 후 답을 구해 보세요.

① 14+11-8

답 : _____

✎ □가 있는 식을 쓰고 답을 구하세요.

② 어떤 수의 5배에서 72를 9로 나눈 몫을 빼었더니 12가 되었습니다. 어떤 수는 얼마일까요?

식 : _____ 답 : _____

③ 주미는 떡집에서 700원짜리 찹쌀떡 3개와 무지개떡 4개를 사고 6000원을 냈습니다. 거스름돈으로 300원을 받았다면 무지개떡 한 개의 값은 얼마일까요?

식 : _____ 답 : _____

✎ 다음 물음에 답하세요.

④ 5의 배수인 어떤 수가 있습니다. 이 수의 약수들을 모두 더하였더니 42가 되었습니다. 어떤 수를 구하세요.

답 : _____

⑤ 7의 배수이면서 63의 약수인 어떤 수가 있습니다. 이 수는 20보다 크고 30보다 작은 수입니다. 어떤 수를 구하세요.

답 : _____

✎ 다음 물음에 답하세요.

⑥ 가로가 30 cm, 세로가 42 cm인 직사각형 모양의 종이를 크기가 같은 정사각형 모양으로 남는 부분없이 자르려고 합니다. 자를 수 있는 가장 큰 정사각형의 한 변의 길이는 몇 cm일까요?

답 : _____

⑦ 초콜릿 26개와 쿠키 39개를 최대한 많은 상자에 남김없이 똑같이 나누어 담으려고 합니다. 한 상자에 초콜릿과 쿠키를 각각 몇 개씩 담을 수 있나요?

답 : _____

Memo

하루 10분 서술형/문장제 학습지

씨투엠

수학
독해

정답

E1
자연수

초5~초6

Creative to Math
씨투엠

정답

E1 자연수
초5~초6

혼합 계산(1)

P 06 ~ 07

1일 덧셈, 뺄셈

덧셈과 뺄셈이 섞여 있는 식에서는 앞에서부터 차례대로 계산해.

알맞게 식을 완성하고 답을 구하세요.

○ 43과 21의 합에서 7을 뺀 수

식 : $43 + 21 - 7 = 57$ 답 : 57

① 26과 17의 차에 39를 더한 수

식 : $26 - 17 + 39 = 48$ 답 : 48

② 68에 14를 더한 수에서 55를 뺀 수

식 : $68 + 14 - 55 = 27$ 답 : 27

③ 73에서 28을 뺀 수와 46의 합

식 : $73 - 28 + 46 = 91$ 답 : 91

하나의 식으로 나타내고 답을 구하세요.

○ 버스에 38명이 타고 있었습니다. 이번 정류장에서 9명이 내리고 4명이 탔을 때 지금 버스에 타고 있는 사람은 몇 명일까요?

식 : $38-9+4=33$ 답 : 33명

(지금 버스에 타고 있는 사람 수)
= (처음 버스에 타고 있던 사람 수) - (내린 사람 수) + (탄 사람 수)

① 학급 문고에는 위인전 49권, 과학책 17권이 있습니다. 서준이가 이 중에서 23권을 읽었다면 아직 읽지 않은 책은 몇 권일까요?

식 : $49+17-23=43$ 답 : 43권

② 줄다리기 경기에 5학년 학생 27명과 6학년 학생 25명이 참가하기 위해 운동장에 나왔습니다. 첫 번째 경기에는 48명만 참가한다고 할 때 이 경기에 참가하지 못하는 학생은 몇 명일까요?

식 : $27+25-48=4$ 답 : 4명

③ 석진이는 가지고 있던 돈 3500원으로 900원짜리 연필 1개를 산 후 아버지에게 1400원을 받았습니다. 석진이가 지금 가지고 있는 돈은 얼마일까요?

식 : $3500-900+1400=4000$ 답 : 4000원

P 08 ~ 09

2일 ( )가 있는 덧셈, 뺄셈

( )가 있는 식에서는 ( ) 안을 먼저 계산해.

알맞게 식을 완성하고 답을 구하세요.

○ 45에서 7과 22의 합을 뺀 수

식 : $45 - (7 + 22) = 16$ 답 : 16

① 51에서 23과 8의 합을 뺀 수

식 : $51 - (23 + 8) = 20$ 답 : 20

② 23에 72와 48의 차를 더한 수

식 : $23 + (72 - 48) = 47$ 답 : 47

③ 59에 32와 13의 차를 더한 수

식 : $59 + (32 - 13) = 78$ 답 : 78

하나의 식으로 나타내고 답을 구하세요.

○ 윤서는 500원짜리 사탕 1개와 1200원짜리 초콜릿 1개를 사고 2000원을 냈습니다. 윤서가 받은 거스름돈은 얼마일까요?

식 : $2000-(500+1200)=300$ 답 : 300원

(윤서가 받은 거스름돈)
= (윤서가 낸 돈) - (사탕 1개와 초콜릿 1개의 값)

① 이현이네 학교 도서관에서 남학생이 47권, 여학생이 65권의 책을 빌려갔습니다. 처음 도서관에 있던 책이 300권일 때 도서관에 남아 있는 책은 몇 권일까요?

식 : $300-(47+65)=188$ 답 : 188권

② 문구점에서 효인이는 4000원짜리 필통 1개를 샀고 정원이는 600원짜리 연필 한 자루와 800원짜리 지우개 1개를 샀습니다. 효인이는 정원이보다 얼마 더 내야 할까요?

식 : $4000-(600+800)=2600$ 답 : 2600원

③ 주성이가 180쪽인 문제집을 풀고 있습니다. 어제까지 84쪽을 풀고 오늘은 13쪽을 풀었습니다. 오늘까지 풀고 남은 쪽수는 몇 쪽일까요?

식 : $180-(84+13)=83$ 답 : 83쪽

P 10 ~ 11

3일 곱셈, 나눗셈

🐝 알맞게 식을 완성하고 답을 구하세요.

○ 8과 9의 곱을 6으로 나눈 수

식 : $8 \times 9 \div 6 = 12$ 답 : _12_

① 64를 16으로 나눈 몫에 7을 곱한 수

식 : $64 \div 16 \times 7 = 28$ 답 : _28_

② 11에 6을 곱한 수를 3으로 나눈 몫

식 : $11 \times 6 \div 3 = 22$ 답 : _22_

③ 76을 4로 나눈 수와 9의 곱

식 : $76 \div 4 \times 9 = 171$ 답 : _171_

🐝 하나의 식으로 나타내고 답을 구하세요.

○ 홍시가 한 상자에 18개씩 5상자 있습니다. 홍시를 6명에게 똑같이 나누어 주면 한 사람이 몇 개를 가질까요?

식 : $18 \times 5 \div 6 = 15$ 답 : _15개_

(한 사람이 가지게 되는 홍시의 수)
= (한 상자에 들어 있는 홍시의 수) × (상자 수) ÷ (사람 수)

① 64명의 학생을 한 모둠에 4명씩 나누고 각 모둠에 과자를 6개씩 나누어 주었습니다. 나누어 준 과자는 모두 몇 개일까요?

식 : $64 \div 4 \times 6 = 96$ 답 : _96개_

② 오이 56개를 한 상자에 8개씩 넣어 한 상자에 4000원씩 받고 모두 팔았습니다. 오이를 팔고 받은 돈은 얼마일까요?

식 : $56 \div 8 \times 4000 = 28000$ 답 : _28000원_

③ 연필 9타를 4명에게 똑같이 나누어 주면 한 사람이 몇 자루를 가질까요? (연필 한 타는 12자루입니다.)

식 : $12 \times 9 \div 4 = 27$ 답 : _27자루_

P 12 ~ 13

4일 ( )가 있는 곱셈, 나눗셈

🐝 알맞게 식을 완성하고 답을 구하세요.

○ 36을 3과 4의 곱으로 나눈 수

식 : $36 \div (3 \times 4) = 3$ 답 : _3_

① 126을 2와 9의 곱으로 나눈 수

식 : $126 \div (2 \times 9) = 7$ 답 : _7_

② 3에 54를 9로 나눈 몫을 곱한 수

식 : $3 \times (54 \div 9) = 18$ 답 : _18_

③ 14에 39를 3으로 나눈 몫을 곱한 수

식 : $14 \times (39 \div 3) = 182$ 답 : _182_

🐝 하나의 식으로 나타내고 답을 구하세요.

○ 오렌지 90개를 한 상자에 5개씩 3줄로 담으려고 합니다. 오렌지를 모두 담으려면 몇 상자가 필요할까요?

식 : $90 \div (5 \times 3) = 6$ 답 : _6상자_

(상자 수) = (전체 오렌지의 수) ÷ (한 상자에 담는 오렌지의 수)

① 카스테라 빵 210개를 한 상자에 6개씩 7줄로 담으려고 합니다. 카스테라 빵을 모두 담으려면 몇 상자가 필요할까요?

식 : $210 \div (6 \times 7) = 5$ 답 : _5상자_

② 어느 인형 공장에서 한 사람이 한 시간에 인형을 7개씩 만들 수 있다고 합니다. 4명이 인형 84개를 만들려면 몇 시간이 걸릴까요?

식 : $84 \div (7 \times 4) = 3$ 답 : _3시간_

③ 한 사람이 한 시간에 종이꽃을 3개씩 만들 수 있습니다. 8명이 종이꽃 96개를 만들려면 몇 시간이 걸릴까요?

식 : $96 \div (3 \times 8) = 4$ 답 : _4시간_

P 14 ~ 15

5일 문제 만들기

'나누다', '씩 주다'
와 같이 기호와 관련된
단어를 잘 보고 알맞게
수를 넣어 봐.

❀ 주어진 식을 보고 □ 안에 알맞은 수를 써넣은 후 답을 구해 보세요.

○ 56÷7×5

학생 **56** 명을 한 모둠에 **7** 명씩으로 나눈 후 각 모둠마다 공책을 **5** 권씩 주려면 공책은 모두 몇 권 필요할까요?

답 : **40권**

① 24−9+16

버스에 **24** 명이 타고 있습니다. 이번 정류장에서 **9** 명이 내리고 **16** 명이 탔다면 지금 버스에 타고 있는 사람은 몇 명일까요?

답 : **31명**

② 12×4÷3

한 상자에 **12** 개씩 들어 있는 캐러멜 **4** 상자를 사서 **3** 명의 친구들에게 똑같이 나누어 주었습니다. 한 사람이 가진 캐러멜은 몇 개일까요?

답 : **16개**

❀ 식에 알맞은 문제를 만든 후 답을 구해 보세요.

○ 12×8÷6

쿠키가 한 상자에 12개씩 8상자 있습니다. 쿠키를 6명에게 똑같이 나누어 주면 한 사람이 몇 개를 가질까요?

답 : **16개**

① 14+11−8

예 편의점에 딸기 우유가 14개, 초코 우유가 11개 있습니다. 오늘 우유를 8개 팔았을 때 남은 우유는 몇 개일까요?

답 : **17개**

② 48÷(3×4)

예 사과 48개를 한 상자에 3개씩 4줄로 담으려고 합니다. 사과를 모두 담으려면 몇 상자가 필요할까요?

답 : **4상자**

P 16 ~ 17

확인학습

✎ 알맞게 식을 완성하고 답을 구하세요.

① 56에서 17을 뺀 수와 32의 합

식 : **56** − **17** + **32** = **71**   답 : **71**

② 65에 43과 28의 차를 더한 수

식 : **65** + (**43** − **28**) = **80**   답 : **80**

③ 84를 21로 나눈 몫에 17을 곱한 수

식 : **84** ÷ **21** × **17** = **68**   답 : **68**

④ 168을 4와 6의 곱으로 나눈 수

식 : **168** ÷ (**4** × **6**) = **7**   답 : **7**

✎ 하나의 식으로 나타내고 답을 구하세요.

⑤ 남학생이 29명, 여학생이 27명 있습니다. 그중에서 안경을 쓴 학생은 17명입니다. 안경을 쓰지 않은 학생은 몇 명일까요?

식 : **29+27−17=39**   답 : **39명**

⑥ 성민이는 딱지를 57장 가지고 있었습니다. 딱지치기를 하여 어제는 13개 잃었고 오늘은 29장을 땄습니다. 성민이가 지금 가지고 있는 딱지는 몇 장일까요?

식 : **57−13+29=73**   답 : **73장**

⑦ 지민이는 6000원짜리 돈까스를 먹었고, 영미는 2100원짜리 떡볶이와 3200원짜리 김밥을 먹었습니다. 지민이가 먹은 음식의 가격은 영미가 먹은 음식의 가격보다 얼마나 더 비쌀까요?

식 : **6000−(2100+3200)=700**   답 : **700원**

⑧ 주빈이가 250쪽인 책을 읽고 있습니다. 어제까지 64쪽을 읽었고 오늘은 82쪽을 읽었습니다. 오늘까지 읽고 남은 쪽수는 몇 쪽일까요?

식 : **250−(64+82)=104**   답 : **104쪽**

P 18

확인학습

✎ 하나의 식으로 나타내고 답을 구하세요.

⑨ 복숭아가 한 상자에 16개씩 6상자 있습니다. 복숭아를 8명에게 똑같이 나누어 주면 한 사람이 몇 개를 가질까요?

식 :　**16×6÷8=12**　　답 :　**12개**

⑩ 공책 42권을 한 상자에 7권씩 넣어 한 상자에 3000원씩 받고 모두 팔았습니다. 공책을 팔고 받은 돈은 얼마일까요?

식 :　**42÷7×3000=18000**　　답 :　**18000원**

⑪ 조각 케이크 192개를 한 상자에 8개씩 4줄로 담으려고 합니다. 조각 케이크를 모두 담으려면 몇 상자가 필요할까요?

식 :　**192÷(8×4)=6**　　답 :　**6상자**

⑫ 어느 장난감 공장에서 한 사람이 한 시간에 장난감을 6개씩 만들 수 있다고 합니다. 3명이 인형 126개를 만들려면 몇 시간이 걸릴까요?

식 :　**126÷(6×3)=7**　　답 :　**7시간**

P 20 ~ 21

1일 덧셈, 뺄셈, 곱셈

🌸 계산 순서를 나타내고 계산해 보세요.

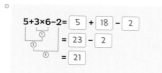

$$5+3\times6-2 = \boxed{5} + \boxed{18} - \boxed{2}$$
$$= \boxed{23} - 2$$
$$= \boxed{21}$$

①
$$14-5+7\times3 = \boxed{14} - \boxed{5} + \boxed{21}$$
$$= \boxed{9} + 21$$
$$= \boxed{30}$$

②
$$9+(12-5)\times8 = \boxed{9} + \boxed{7} \times \boxed{8}$$
$$= 9 + \boxed{56}$$
$$= \boxed{65}$$

🌸 하나의 식으로 나타내고 답을 구하세요.

> +, -, ×가 섞여 있는 식에서는 ×를 먼저 계산해.

◎ 우주네 반 학생 14명은 5명씩 2모둠으로 나누어 농구를 하고 나머지는 다른 반 학생 3명과 응원을 했습니다. 응원한 학생은 모두 몇 명일까요?

식 : 14-5×2+3=7   답 : 7명

(응원한 학생 수)
= (우주네 반 학생 중 농구하지 않은 학생 수) + (다른 반 학생 수)

① 정미는 일주일 동안 매일 책을 20쪽씩 읽었고, 은지는 5일 동안 매일 책을 13쪽씩 읽었습니다. 두 사람이 읽은 책은 모두 몇 쪽일까요?

식 : 7×20+5×13=205   답 : 205쪽

② 귤 30개를 준우네 가족 3명과 수인이네 가족 4명에게 2개씩 나누어 주었습니다. 남은 귤은 몇 개일까요?

식 : 30-(3+4)×2=16   답 : 16개

③ 주민이는 종이개구리 47개를 접었습니다. 종이개구리를 친구 6명에게 5개씩 나누어 준 다음 종이개구리 4개를 더 접었습니다. 주민이가 가지고 있는 종이개구리는 몇 개일까요?

식 : 47-6×5+4=21   답 : 21개

P 22 ~ 23

2일 덧셈, 뺄셈, 나눗셈

🐢 계산 순서를 나타내고 계산해 보세요.

$$13-12\div6+7 = \boxed{13} - \boxed{2} + \boxed{7}$$
$$= \boxed{11} + 7$$
$$= \boxed{18}$$

①
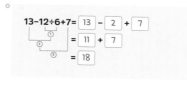
$$14+8-54\div9 = \boxed{14} + \boxed{8} - \boxed{6}$$
$$= \boxed{22} - 6$$
$$= \boxed{16}$$

②
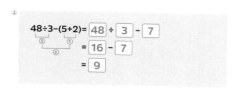
$$48\div3-(5+2) = \boxed{48} \div \boxed{3} - \boxed{7}$$
$$= \boxed{16} - 7$$
$$= \boxed{9}$$

🐢 하나의 식으로 나타내고 답을 구하세요.

> +, -, ÷가 섞여 있는 식에서는 ÷를 먼저 계산해.

◎ 어머니는 42살, 아버지는 46살이고 경선이는 어머니와 아버지 나이의 합을 8로 나눈 것보다 1살 더 많습니다. 경선이는 몇 살일까요?

식 : (42+46)÷8+1=12   답 : 12살

(경선이의 나이) = (어머니와 아버지의 나이의 합) ÷ 8 + 1

① 지수는 구슬을 어제 10개, 오늘 14개를 산 후 주머니 3개에 똑같이 나누어 담았습니다. 한 주머니에서 구슬 2개를 꺼낸다면 그 주머니에 남은 구슬은 몇 개일까요?

식 : (10+14)÷3-2=6   답 : 6개

② 과일 가게에서 4개에 880g인 귤 1개와 3개에 960g인 사과 1개를 샀습니다. 구매한 과일의 무게는 모두 몇 g일까요? (같은 과일 1개의 무게는 서로 같습니다.)

식 : 880÷4+960÷3=540   답 : 540 g

③ 공책 한 권은 1200원, 연필 한 타는 4800원입니다. 현우는 2000원으로 공책 한 권과 연필 한 자루를 샀습니다. 현우가 받은 거스름돈은 얼마일까요? (연필 한 타는 12자루입니다.)

식 : 2000-(1200+4800÷12)=400   답 : 400원

6 E1-자연수

P 24 ~ 25

3일 혼합 계산(1)

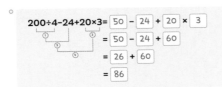

계산 순서를 나타내고 계산해 보세요.

○
$200÷4-24+20×3 = \boxed{50} - \boxed{24} + \boxed{20} × \boxed{3}$
$= \boxed{50} - \boxed{24} + \boxed{60}$
$= \boxed{26} + \boxed{60}$
$= \boxed{86}$

①
$15+3×8-12÷6 = \boxed{15} + \boxed{24} - \boxed{12} ÷ \boxed{6}$
$= \boxed{15} + \boxed{24} - \boxed{2}$
$= \boxed{39} - \boxed{2}$
$= \boxed{37}$

②
$10+54÷9×12-7 = \boxed{10} + \boxed{6} × \boxed{12} - \boxed{7}$
$= \boxed{10} + \boxed{72} - \boxed{7}$
$= \boxed{82} - \boxed{7}$
$= \boxed{75}$

하나의 식으로 나타내고 답을 구하세요.

○ 주우는 전체 쪽수가 360쪽인 과학책을 9일 동안 매일 같은 쪽수만큼 읽기로 했습니다. 첫째 날 11쪽씩 3번 읽었다면 첫째 날 읽지 못한 쪽수는 몇 쪽일까요?

식 : $360÷9-11×3=7$ 　　답 : 7쪽

(첫째 날 읽지 못한 쪽수)
= (하루에 읽으려고 했던 쪽수) - (첫째 날 읽은 쪽수)

① 지효는 한 상자에 16개씩 들어 있는 구슬 6상자를 똑같이 8묶음으로 나누어 한 묶음을 가졌습니다. 언니에게서 구슬 2개를 받았다면 지효가 가지고 있는 구슬은 몇 개일까요?

식 : $16×6÷8+2=14$ 　　답 : 14개

② 파프리카 1개의 무게는 250 g이고, 브로콜리 4개의 무게는 920 g입니다. 무 1개의 무게가 파프리카 3개의 무게와 브로콜리 1개의 무게의 합과 같다면 무 1개의 무게는 몇 g일까요?

식 : $250×3+920÷4=980$ 　　답 : 980 g

③ 원주는 문구점에서 1자루에 900원인 빨간색 색연필 2자루와 4자루에 4800원인 초록색 색연필 3자루를 샀습니다. 원주가 지불한 돈은 모두 얼마일까요?

식 : $900×2+4800÷4×3=5400$ 　　답 : 5400원

P 26 ~ 27

4일 혼합 계산(2)

계산 순서를 나타내고 계산해 보세요.

○
$(12+5)×3-42÷6 = \boxed{17} × \boxed{3} - \boxed{42} ÷ \boxed{6}$
$= \boxed{51} - \boxed{42} ÷ \boxed{6}$
$= \boxed{51} - \boxed{7}$
$= \boxed{44}$

①
$25+66÷3×(12-10) = \boxed{25} + \boxed{66} ÷ \boxed{3} × \boxed{2}$
$= \boxed{25} + \boxed{22} × \boxed{2}$
$= \boxed{25} + \boxed{44}$
$= \boxed{69}$

②
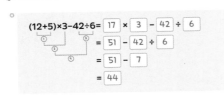
$7+42÷(6×4-3) = \boxed{7} + \boxed{42} ÷ (\boxed{24} - \boxed{3})$
$= \boxed{7} + \boxed{42} ÷ \boxed{21}$
$= \boxed{7} + \boxed{2}$
$= \boxed{9}$

하나의 식으로 나타내고 답을 구하세요.

○ 공원에서 사탕 600개를 5일 동안 입장객에게 매일 똑같은 수만큼 나누어 주려고 합니다. 첫날 오전에 어른 15명과 어린이 24명에게 사탕을 각각 2개씩 나누어 주었습니다. 첫날 오후에 나누어 줄 수 있는 사탕은 몇 개일까요?

식 : $600÷5-(15+24)×2=42$ 　　답 : 42개

(첫날 오후에 나누어 줄 수 있는 사탕 수)
= (첫날 나누어 줄 수 있는 사탕 수) - (첫날 오전에 나누어 준 사탕 수)

① 현호는 친구들과 함께 분식집에 가서 1인분에 2000원인 떡볶이 3인분과 한 줄에 2500원인 김밥 2줄을 사 먹었습니다. 음식값을 4명이 똑같이 나누어 낸다면 한 사람이 얼마를 내야 할까요?

식 : $(2000×3+2500×2)÷4=2750$ 　　답 : 2750원

② 서울에서 여수까지 거리는 350 km입니다. 겨울이네 가족은 서울에서 출발하여 한 시간에 80 km를 가는 속력으로 2시간을 간후 한 시간에 70 km를 가는 속력으로 1시간을 더 갔습니다. 남은 거리는 한 시간에 60 km를 가는 속력으로 가려고 할 때 여수까지 몇 시간을 더 가야 할까요?

식 : $(350-80×2-70)÷60=2$ 　　답 : 2시간

③ 사과 1개에 1500원, 귤 1개에 700원, 포도 3송이에 12000원입니다. 준희는 사과와 귤을 각각 4개씩 사고, 민진이는 포도 1송이를 샀습니다. 준희가 쓴 돈은 민진이가 쓴 돈보다 얼마나 많을까요?

식 : $(1500+700)×4-12000÷3=4800$ 　　답 : 4800원

P 28 ~ 29

5일 어떤 수 구하기

계산할 수 있는 부분은 먼저 계산해.

❀ □가 있는 식을 쓰고 답을 구하세요.

◎ 어떤 수에 5를 곱하고 4를 더했더니 34가 되었습니다. 어떤 수는 얼마일까요?

식 : $\square×5+4=34$　　답 : 6

* 5 + 34 - 4 = 30 이므로 □ = 6

① 어떤 수보다 6 작은 수를 7배 하였더니 28이 되었습니다. 어떤 수는 얼마일까요?

식 : $(\square-6)×7=28$　　답 : 10

② 어떤 수의 3배에 36을 9로 나눈 몫을 더했더니 25가 되었습니다. 어떤 수는 얼마일까요?

식 : $\square×3+36÷9=25$　　답 : 7

③ 6에 어떤 수를 곱한 수를 19와 7의 차로 나누었더니 4가 되었습니다. 어떤 수는 얼마일까요?

식 : $6×\square÷(19-7)=4$　　답 : 8

❀ □가 있는 식을 쓰고 답을 구하세요.

◎ 20 L의 물이 들어 있는 욕조에 ㉮, ㉯ 두 수도꼭지를 동시에 틀어 20분 동안 물을 받았더니 180 L가 되었습니다. ㉮ 수도꼭지에서 1분에 5 L의 물이 나올 때 ㉯ 수도꼭지에서는 1분에 몇 L의 물이 나올까요?

식 : $20+(5+\square)×20=180$　　답 : 3 L

(5 + □) × 20 = 160, 5 + □ = 8

① 주빈이의 나이에 6배를 하고 10을 더한 후 2로 나누면 어머니의 나이가 됩니다. 어머니의 나이가 41살일 때 주빈이의 나이는 몇 살일까요?

식 : $(\square×6+10)÷2=41$　　답 : 12살

② 패스트푸드점에서 2000원짜리 햄버거 1개와 콜라 1병을 세트로 함께 판매합니다. 3세트를 산 가격이 9600원일 때 콜라 1병의 값은 얼마일까요?

식 : $(2000+\square)×3=9600$　　답 : 1200원

③ 원영이는 편의점에서 500원짜리 사탕 4개와 소시지 6개를 사고 4000원을 냈습니다. 거스름돈으로 200원을 받았다면 소시지 한 개의 값은 얼마일까요?

식 : $4000-(500×4+\square×6)=200$　　답 : 300원

P 30 ~ 31

확인학습

✏ 계산 순서를 나타내고 계산해 보세요.

①
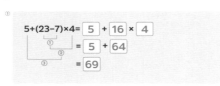
$$5+(23-7)×4 = \boxed{5} + \boxed{16} × \boxed{4}$$
$$= \boxed{5} + \boxed{64}$$
$$= \boxed{69}$$

②
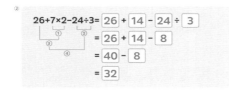
$$26+7×2-24÷3 = \boxed{26} + \boxed{14} - \boxed{24} ÷ \boxed{3}$$
$$= \boxed{26} + \boxed{14} - \boxed{8}$$
$$= \boxed{40} - \boxed{8}$$
$$= \boxed{32}$$

③
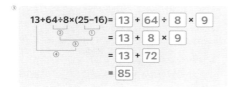
$$13+64÷8×(25-16) = \boxed{13} + \boxed{64} ÷ \boxed{8} × \boxed{9}$$
$$= \boxed{13} + \boxed{8} × \boxed{9}$$
$$= \boxed{13} + \boxed{72}$$
$$= \boxed{85}$$

✏ 하나의 식으로 나타내고 답을 구하세요.

④ 정현이는 일주일 동안 매일 수학 문제를 12문제씩 풀었고, 해솔이는 10일 동안 매일 수학 문제를 8문제씩 풀었습니다. 두 사람이 푼 수학 문제는 모두 몇 문제일까요?

식 : $7×12+10×8=164$　　답 : 164문제

⑤ 자동차 63대를 주차할 수 있는 주차장에 자동차가 한 줄에 9대씩 6줄로 주차되어 있습니다. 이 중에서 12대가 빠져나간다면 앞으로 주차할 수 있는 자동차는 몇 대일까요?

식 : $63-(9×6-12)=21$　　답 : 21대

⑥ 젤리는 3개에 3600원이고 마카롱은 5개에 5500원입니다. 젤리 한 개는 마카롱 한 개보다 얼마나 더 비쌀까요?

식 : $3600÷3-5500÷5=100$　　답 : 100원

⑦ 문호는 연필을 68자루 가지고 있습니다. 그중에서 민주에게 11자루, 호인이에게 15자루를 주고 나머지를 6개의 봉지에 똑같이 나누어 담았습니다. 봉지 한 개에 담은 연필은 몇 자루일까요?

식 : $(68-11-15)÷6=7$　　답 : 7자루

P 32

확인학습

✎ 하나의 식으로 나타내고 답을 구하세요.

⑧ 경서는 한 상자에 14권씩 들어 있는 공책 8상자를 똑같이 7묶음으로 나누어 한 묶음을 가졌습니다. 동생에게 공책 5권을 주었다면 경서가 가지고 있는 공책은 몇 권일까요?

식 : __14×8÷7-5=11__　　답 : ____11권____

⑨ 박물관에서 기념품 600개를 5일 동안 관람객에게 매일 똑같은 수만큼 나누어 주려고 합니다. 첫날 오전에 남자 11명과 여자 26명에게 기념품을 2개씩 나누어 주었습니다. 첫날 오후에 나누어 줄 수 있는 기념품은 몇 개일까요?

식 : __600÷5-(11+26)×2=46__　　답 : ____46개____

✎ □가 있는 식을 쓰고 답을 구하세요.

⑩ 문구점에서 1100원짜리 공책 1권과 연필 1자루를 세트로 함께 판매합니다. 6세트를 산 가격이 10200원일 때 연필 1자루의 값은 얼마일까요?

식 : __(1100+□)×6=10200__　　답 : ____600원____

⑪ 서연이 나이에 7배를 하고 6을 뺀 후 2로 나누면 아버지의 나이가 됩니다. 아버지의 나이가 39살일 때 서연이의 나이는 몇 살일까요?

식 : __(□×7-6)÷2=39__　　답 : ____12살____

P 34 ~ 35

1일 약수

> (ㅁ의 약수)=(ㅁ를 나누어떨어지게 하는 수)

□ 안에 알맞은 수를 써넣으세요.

○ 8의 약수를 나눗셈을 이용하여 구해 보면

8÷1=8, 8÷ **2** =4, 8÷ **4** =2, 8÷ **8** =1 이므로

8의 약수는 **1** , **2** , **4** , **8** 입니다.

① 15의 약수를 나눗셈을 이용하여 구해 보면

15÷1=15, 15÷ **3** =5, 15÷ **5** =3, 15÷ **15** =1 이므로

15의 약수는 **1** , **3** , **5** , **15** 입니다.

② 12의 약수를 나눗셈을 이용하여 구해 보면

12÷1=12, 12÷ **2** =6, 12÷ **3** =4, 12÷ **4** =3, 12÷ **6** =12, 12÷ **12** =1이므로

12의 약수는 **1** , **2** , **3** , **4** , **6** , **12** 입니다.

③ 16의 약수를 나눗셈을 이용하여 구해 보면

16÷1=16, 16÷ **2** =8, 16÷ **4** =4, 16÷ **8** =2, 16÷ **16** =1이므로

16의 약수는 **1** , **2** , **4** , **8** , **16** 입니다.

다음 물음에 답하세요.

○ 연필 35자루를 학생들에게 남김없이 똑같이 나누어 주려고 합니다. 나누어 줄 수 있는 학생 수를 모두 구하세요.

35의 약수 1, 5, 7, 35

답 : **1명, 5명, 7명, 35명**

① 10을 어떤 수로 나누었더니 나누어떨어졌습니다. 10을 나누어떨어지게 하는 수를 모두 구하세요.

답 : **1, 2, 5, 10**

② 아이스크림 18개를 친구들에게 남김없이 똑같이 나누어 주려고 합니다. 친구들에게 나누어 주는 방법은 모두 몇 가지일까요?

답 : **6가지**

18의 약수 : 1, 2, 3, 6, 9, 18

③ 나영이는 사과 42개를 여러 개의 접시에 남김없이 똑같이 나누어 담으려고 합니다. 사과를 접시에 나누어 담는 방법은 모두 몇 가지일까요? (단, 1개보다 많은 접시를 사용합니다.)

답 : **7가지**

42의 약수 : 1, 2, 3, 6, 7, 14, 21, 42

P 36 ~ 37

2일 배수

> (ㅁ의 배수)=(ㅁ를 ㅁ배, 2배, ㅁ배, …… 한 수)

□ 안에 알맞은 수를 써넣으세요.

○ 6의 배수를 곱셈을 이용하여 구해 보면

6×1=6, 6×2= **12** , 6×3= **18** , 6×4= **24** …… 이므로

6의 배수를 가장 작은 수부터 4개 쓰면 **6** , **12** , **18** , **24** 입니다.

① 4의 배수를 곱셈을 이용하여 구해 보면

4×1=4, 4×2= **8** , 4×3= **12** , 4×4= **16** …… 이므로

4의 배수를 가장 작은 수부터 4개 쓰면 **4** , **8** , **12** , **16** 입니다.

② 9의 배수를 곱셈을 이용하여 구해 보면

9×1=9, 9×2= **18** , 9×3= **27** , 9×4= **36** …… 이므로

9의 배수를 가장 작은 수부터 4개 쓰면 **9** , **18** , **27** , **36** 입니다.

③ 14의 배수를 곱셈을 이용하여 구해 보면

14×1=14, 14×2= **28** , 14×3= **42** , 14×4= **56** …… 이므로

14의 배수를 가장 작은 수부터 4개 쓰면 **14** , **28** , **42** , **56** 입니다.

다음 물음에 답하세요.

○ 터미널에서 공원으로 가는 버스가 오후 3시부터 8분 간격으로 출발합니다. 오후 4시까지 버스는 몇 번 출발할까요?

8의 배수 : 8, 16, 24, 32, 40, 48, 56, ……

출발 시각 : 3시, 3시 8분, 3시 16분, 3시 24분,
3시 32분, 3시 40분, 3시 48분, 3시 56분

답 : **8번**

① 1부터 40까지의 수 중에서 7로 나누어떨어지는 수를 모두 구하세요.

답 : **7, 14, 21, 28, 35**

② 정수는 3월 한 달 동안 6의 배수인 날마다 봉사활동을 하기로 했습니다. 정수가 봉사활동을 하는 날 수는 모두 며칠일까요?

답 : **5일**

6의 배수 : 6, 12, 18, 24, 30, ……

③ 미주는 5일에 한 번씩 피아노 학원에 다닙니다. 4월 2일에 처음으로 학원에 갔다면 네 번째로 학원에 간 날은 몇 월 며칠일까요?

답 : **4월 17일**

5의 배수 : 5, 10, 15, 20, ……

학원에 간 날 : 4월 2일, 7일, 12일, 17일, ……

P 38 ~ 39

3일 약수와 배수의 관계

■□▲ ● ──▶
■ 는 ▲ 와 ● 의 배수,
▲ 와 ● 는 ■ 의 약수

🐚 □안에 알맞은 수를 써넣으세요.

○ 18을 두 수의 곱으로 나타내면

1 × 18 =18, 2 × 9 =18, 3 × 6 =18

⇨ 18은 1 , 2 , 3 , 6 , 9 , 18 의 배수이고

1 , 2 , 3 , 6 , 9 , 18 은/는 18의 약수입니다.

① 12를 두 수의 곱으로 나타내면

1 × 12 =12, 2 × 6 =12, 3 × 4 =12

⇨ 12는 1 , 2 , 3 , 4 , 6 , 12 의 배수이고

1 , 2 , 3 , 4 , 6 , 12 은/는 12의 약수입니다.

② 56을 두 수의 곱으로 나타내면

1 × 56 =56, 2 × 28 =56, 4 × 14 =56, 7 × 8 =56

⇨ 56은 1 , 2 , 4 , 7 , 8 , 14 , 28 , 56 의 배수이고

1 , 2 , 4 , 7 , 8 , 14 , 28 , 56 은/는 56의 약수입니다.

🐚 다음 물음에 답하세요.

○ 5의 배수인 어떤 수가 있습니다. 이 수의 약수들을 모두 더하였더니 24가 되었습니다. 어떤 수를 구하세요.

5의 배수 : 5, 10, 15, ……
15의 약수 : 1, 3, 5, 15
15의 약수의 합 : 1 + 3 + 5 + 15 = 24

답 : 15

① 6의 배수인 어떤 수가 있습니다. 이 수의 약수들을 모두 더하였더니 39가 되었습니다. 어떤 수를 구하세요.

6의 배수 : 6, 12, 18, ……
18의 약수 : 1, 2, 3, 6, 9, 18
18의 약수의 합 : 1+2+3+6+9+18=39

답 : 18

② 3의 배수이면서 24의 약수인 어떤 수가 있습니다. 이 수는 10보다 크고 15보다 작습니다. 어떤 수를 구하세요.

3의 배수 : 3, 6, 9, 12, ……
24의 약수 : 1, 2, 3, 4, 6, 8, 12, 24

답 : 12

③ 7의 배수이면서 42의 약수인 어떤 수가 있습니다. 이 수는 10보다 크고 25보다 작은 홀수입니다. 어떤 수를 구하세요.

7의 배수 : 7, 14, 21, 28, ……
42의 약수 : 1, 2, 3, 6, 7, 14, 21, 28

답 : 21

P 40 ~ 41

4일 공약수

■ 와 ▲ 의 공통된
약수를 ■ 와 ▲ 의
공약수 라고 해.

🐚 □안에 알맞은 수를 써넣으세요.

○ **12, 18**

12의 약수는 1 , 2 , 3 , 4 , 6 , 12 이고

18의 약수는 1 , 2 , 3 , 6 , 9 , 18 입니다.

⇨ 12와 18의 공약수는 1 , 2 , 3 , 6 입니다.

① **8, 16**

8의 약수는 1 , 2 , 4 , 8 이고

16의 약수는 1 , 2 , 4 , 8 , 16 입니다.

⇨ 8과 16의 공약수는 1 , 2 , 4 , 8 입니다.

② **28, 42**

28의 약수는 1 , 2 , 4 , 7 , 14 , 28 이고

42의 약수는 1 , 2 , 3 , 6 , 7 , 14 , 21 , 42 입니다.

⇨ 28과 42의 공약수는 1 , 2 , 7 , 14 입니다.

🐚 다음에 물음에 답하세요.

○ 연필 16자루와 공책 24권을 친구들에게 남김없이 똑같이 나누어 주려고 합니다. 몇 명의 친구들에게 나누어 줄 수 있는지 모두 구하세요.

답 : 1명, 2명, 4명, 8명

① 18과 30을 어떤 수로 나누면 두 수 모두 나누어떨어집니다. 어떤 수를 모두 구하세요.

답 : 1, 2, 3, 6

② 과자 27개와 초콜릿 45개를 친구들에게 남김없이 똑같이 나누어 주려고 합니다. 몇 명의 친구들에게 나누어 줄 수 있는지 모두 구하세요.

답 : 1명, 3명, 9명

③ 가로가 36 cm, 세로가 48 cm인 직사각형 모양의 종이가 있습니다. 이 종이를 남김없이 잘라 크기가 같은 정사각형 모양을 여러 장 만들려고 합니다. 만들 수 있는 정사각형의 한 변의 길이를 모두 구하세요.

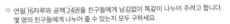

답 : 1 cm, 2 cm, 3 cm, 4 cm, 6 cm, 12 cm

P 42 ~ 43

5일 공배수

※와 ▲의 공통된 배수를 ※와 ▲의 공배수라고 해.

□ 안에 알맞은 수를 써넣으세요.

◎
| 4, 6 |

4의 배수는 **4**, **8**, **12**, **16**, **20**, **24** …… 이고
6의 배수는 **6**, **12**, **18**, **24**, **30**, **36** …… 입니다.
➡ 4와 6의 공배수를 작은 것부터 2개 쓰면 **12**, **24** 입니다.

①
| 5, 15 |

5의 배수는 **5**, **10**, **15**, **20**, **25**, **30** …… 이고
15의 배수는 **15**, **30**, **45**, **60**, **75**, **90** …… 입니다.
➡ 5와 15의 공배수를 작은 것부터 2개 쓰면 **15**, **30** 입니다.

②
| 9, 12 |

9의 배수는 **9**, **18**, **27**, **36**, **45**, **54**, **63**, **72** …… 이고
12의 배수는 **12**, **24**, **36**, **48**, **60**, **72**, **84**, **96** …… 입니다.
➡ 9와 12의 공배수를 작은 것부터 2개 쓰면 **36**, **72** 입니다.

다음 물음에 답하세요.

◎ 수영장을 지혜는 4일마다, 윤주는 6일마다 다닙니다. 3월 31일에 두 사람이 만났다고 할 때 4월 한 달 동안 두 사람이 만난 날은 언제인지 모두 구하세요.

4와 6의 공배수 : 12, 24, 36, ……

답 : **4월 12일, 4월 24일**

① 1부터 50까지의 수 중에서 4로 나누어도 나누어떨어지고, 10으로 나누어도 나누어떨어지는 수를 모두 구하세요.

답 : **20, 40**

② 영지와 호인이는 운동장을 일정한 속력으로 걷고 있습니다. 영지는 3분마다, 호인이는 5분마다 운동장을 한 바퀴 돕니다. 두 사람이 출발점에서 같은 방향으로 동시에 출발할 때 출발 후 40분 동안 출발점에서 몇 번 다시 만나는지 구하세요.

답 : **2번**

3과 5의 공배수 : 15, 30, 45, ……

③ 가로가 6 cm, 세로가 8 cm인 직사각형 모양의 종이를 겹치는 부분이 없이 늘어놓아 한 변의 길이가 100 cm보다 짧은 정사각형을 만들려고 합니다. 만들 수 있는 정사각형의 한 변의 길이를 모두 구하세요.

답 : **24 cm, 48 cm, 72 cm, 96 cm**

P 44 ~ 45

확인학습

다음 물음에 답하세요.

① 사탕 12개를 친구들에게 남김없이 똑같이 나누어 주려고 합니다. 나누어 줄 수 있는 친구 수를 모두 구하세요.

답 : **1명, 2명, 3명, 4명, 6명, 12명**

② 원영이는 참외 28개를 여러 개의 바구니에 남김없이 똑같이 나누어 담으려고 합니다. 참외를 바구니에 나누어 담는 방법은 모두 몇 가지일까요? (단, 1개보다 많은 바구니를 사용합니다.)

답 : **5가지**

28의 약수 : 1, 2, 4, 7, 14, 28

③ 집 앞에서 시청으로 가는 버스가 오후 1시부터 7분 간격으로 출발합니다. 오후 1시부터 오후 2시까지 버스는 몇 번 출발할까요?

답 : **9번**

7의 배수 : 7, 14, 21, 28, 35, 42, 49, 56, ……

④ 미주는 4일에 한 번씩 미술 학원에 다닙니다. 6월 3일에 처음으로 학원에 갔다면 다섯 번째로 학원에 간 날은 몇 월 며칠일까요?

답 : **6월 19일**

4의 배수 : 4, 8, 12, 16, 20, ……
학원에 간 날 : 6월 3일, 7일, 11일, 15일, 19일, ……

□ 안에 알맞은 수를 써넣으세요.

⑤ 28을 두 수의 곱으로 나타내면
1 × **28** =28, **2** × **14** =28, **4** × **7** =28
➡ 28은 **1**, **2**, **4**, **7**, **14**, **28** 의 배수이고
1, **2**, **4**, **7**, **14**, **28** 은/는 28의 약수입니다.

⑥ 54를 두 수의 곱으로 나타내면
1 × **54** =54, **2** × **27** =54, **3** × **18** =54, **6** × **9** =54
➡ 54는 **1**, **2**, **3**, **6**, **9**, **18**, **27**, **54** 의 배수이고
1, **2**, **3**, **6**, **9**, **18**, **27**, **54** 은/는 54의 약수입니다.

다음 물음에 답하세요.

⑦ 4의 배수인 어떤 수가 있습니다. 이 수의 약수들을 모두 더하였더니 28이 되었습니다. 어떤 수를 구하세요.

4의 배수 : 4, 8, 12, 16, ……
12의 약수 : 1, 2, 3, 4, 6, 12
답 : **12**

⑧ 6의 배수이면서 48의 약수인 어떤 수가 있습니다. 이 수는 20보다 크고 35보다 작습니다. 어떤 수를 구하세요.

6의 배수 : 6, 12, 18, 24, ……
48의 약수 : 1, 2, 3, 4, 6, 8, 12, 16, 24, 48
답 : **24**

P 46

확인학습

✎ 다음 물음에 답하세요.

⑨ 16과 40을 어떤 수로 나누면 두 수 모두 나누어떨어집니다. 어떤 수를 모두 구하세요.

답 : **1, 2, 4, 8**

⑩ 사탕 24개와 젤리 30개를 학생들에게 남김없이 똑같이 나누어 주려고 합니다. 몇 명의 학생들에게 나누어 줄 수 있는지 모두 구하세요.

답 : **1명, 2명, 3명, 6명**

⑪ 1부터 100까지의 수 중에서 6으로 나누어도 나누어떨어지고, 8로 나누어도 나누어떨어지는 수를 모두 구하세요.

답 : **24, 48, 72, 96**

⑫ 수영장을 효진이는 2일마다, 명옥이는 3일마다 다닙니다. 4월 1일에 두 사람이 수영장에서 만났다고 할 때 4월 한 달 동안 두 사람이 만난 날은 언제인지 모두 구하세요.

답 : **4월 1일, 4월 7일, 4월 13일, 4월 19일, 4월 25일**
2와 3의 공배수 : 6, 12, 18, 24, ……

최대공약수와 최소공배수

4주

P 48 ~ 49

1일 공약수와 최대공약수

(두 수의 최대 공약수의 약수)= (두 수의 공약수)

❀ □ 안에 알맞은 수를 써넣으세요.

○ 12와 30의 최대공약수는 **6** 입니다.

최대공약수: 2 × 3 = 6

```
2 ) 12  30
3 )  6  15
     2   5
```

① 4와 14의 최대공약수는 **2** 입니다.

```
2 )  4  14
     2   7
```

② 9와 27의 최대공약수는 **9** 입니다.

```
3 )  9  27
3 )  3   9
     1   3
```

③ 20과 50의 최대공약수는 **10** 입니다.

```
2 ) 20  50
5 ) 10  25
     2   5
```

❀ 최대공약수를 구하는 식을 완성하고 답을 구하세요.

○ 최대공약수를 이용하여 10과 30의 공약수를 구하세요.

```
2 ) 10  30
5 )  5  15
     1   3
```
10과 30의 최대공약수: 2 × 5 = 10

답 : **1, 2, 5, 10**

① 최대공약수를 이용하여 14와 21의 공약수를 구하세요.

```
7 ) 14  21
     2   3
```

답 : **1, 7**

② 최대공약수를 이용하여 12와 18의 공약수를 구하세요.

```
2 ) 12  18
3 )  6   9
     2   3
```

답 : **1, 2, 3, 6**

③ 최대공약수를 이용하여 36과 48의 공약수를 구하세요.

```
2 ) 36  48
2 ) 18  24
3 )  9  12
     3   4
```

답 : **1, 2, 3, 4, 6, 12**

P 50 ~ 51

2일 최대공약수의 활용

'최대한' 뭘 수 있는 대로 없으란 뜻! 뭐라는 말이 들어가면 최대공약수를 이용해.

❀ 알맞은 식을 쓰고 답을 구하세요.

○ 빨간 구슬 12개와 파란 구슬 18개를 최대한 많은 친구에게 남김없이 똑같이 나누어 주려고 합니다. 최대 몇 명의 친구에게 나누어 줄 수 있을까요?

식 :
```
2 ) 12  18
3 )  6   9
     2   3
```
답 : **6명**

12와 18의 최대공약수: 6

① 연필 20자루와 지우개 28개를 최대한 많은 모둠에게 남김없이 똑같이 나누어 주려고 합니다. 최대 몇 개 모둠까지 나누어 줄 수 있을까요?

식 :
```
2 ) 20  28
2 ) 10  14
     5   7
```
답 : **4개**

② 빵 15개와 초콜릿 75개를 최대한 많은 접시에 남김없이 똑같이 나누어 담으려고 합니다. 최대 몇 개의 접시에 나누어 담을 수 있을까요?

식 :
```
3 ) 15  75
5 )  5  25
     1   5
```
답 : **15개**

③ 가로가 42 cm, 세로가 28 cm인 직사각형 모양의 종이를 크기가 같은 정사각형 모양으로 남는 부분없이 자르려고 합니다. 자를 수 있는 가장 큰 정사각형의 한 변의 길이는 몇 cm일까요?

식 :
```
2 ) 42  28
7 ) 21  14
     3   2
```
답 : **14 cm**

❀ 다음 물음에 답하세요.

○ 사과 12개와 참외 20개를 최대한 많은 학생에게 남김없이 똑같이 나누어 주려고 합니다. 한 학생이 사과와 참외를 각각 몇 개씩 받을 수 있나요?

12와 20의 최대공약수가 4이므로
최대 4명의 학생에게 나누어 줄 수 있습니다.
사과: 12 ÷ 4 = 3(개), 참외: 20 ÷ 4 = 5(개)

답 : **사과 3개, 참외 5개**

① 야구공 15개와 테니스공 21개를 최대한 많은 사람에게 남김없이 똑같이 나누어 주려고 합니다. 한 사람이 야구공과 테니스공을 각각 몇 개씩 받을 수 있나요?

답 : **야구공 5개, 테니스공 7개**

② 사탕 24개와 젤리 54개를 최대한 많은 바구니에 남김없이 똑같이 나누어 담으려고 합니다. 한 바구니에 사탕과 젤리를 각각 몇 개씩 담을 수 있나요?

답 : **사탕 4개, 젤리 9개**

③ 가로가 24 cm, 세로가 32 cm인 직사각형 모양의 종이를 크기가 같은 정사각형 모양으로 남는 부분없이 자르려고 합니다. 가장 큰 정사각형 모양으로 자를 때 모두 몇 장으로 자를 수 있을까요?

답 : **12장**

P 52 ~ 53

3일 공배수와 최소공배수

(두 수의 최소공배수의 배수)=(두 수의 공배수)

□ 안에 알맞은 수를 써넣으세요.

○ 18과 24의 최소공배수는 **72** 입니다.

최소공배수: 2 × 3 × 3 × 4 = 72

2	18	24
3	9	12
	3	4

① 6과 10의 최소공배수는 **30** 입니다.

2	6	10
	3	5

② 9와 36의 최소공배수는 **36** 입니다.

3	9	36
3	3	12
	1	4

③ 28과 42의 최소공배수는 **84** 입니다.

2	28	42
7	14	21
	2	3

최소공배수를 구하는 식을 완성하고 답을 구하세요.

○ 최소공배수를 이용하여 8과 12의 공배수를 작은 것부터 3개 구하세요.

2	8	12
2	4	6
	2	3

답 : **24, 48, 72**

8과 12의 최소공배수: 2 × 2 × 2 × 3 = 24

① 최소공배수를 이용하여 14와 35의 공배수를 작은 것부터 3개 구하세요.

7	14	35
	2	5

답 : **70, 140, 210**

② 최소공배수를 이용하여 12와 18의 공배수를 작은 것부터 3개 구하세요.

2	12	18
3	6	9
	2	3

답 : **36, 72, 108**

③ 최소공배수를 이용하여 15와 45의 공배수를 작은 것부터 3개 구하세요.

3	15	45
5	5	15
	1	3

답 : **45, 90, 135**

P 54 ~ 55

4일 최소공배수의 활용

읽을 수 있는 대로 적은 (시간', '동시에' 라는 말이 등어가면 최소 공배수를 이용해.

알맞은 식을 쓰고 답을 구하세요.

○ 민지는 4일마다 피아노 학원에 가고 6일마다 미술 학원에 갑니다. 오늘 피아노 학원과 미술 학원에 갔을 때 다음번에 동시에 가는 날은 며칠 후일까요?

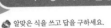

식 :
2	4	6
	2	3

답 : **12일 후**

4와 6의 최소공배수: 12

① 자명종 시계는 3시간마다, 뻐꾸기 시계는 5시간마다 울리게 하였습니다. 두 시계가 동시에 울리는 것은 몇 시간마다일까요?

식 :
1	3	5
	3	5

답 : **15시간**

② 도로 위에 시작점을 같이하여 해바라기는 18 m 간격으로, 개나리는 24 m 간격으로 심으려고 합니다. 시작점 이후에 두 꽃을 처음으로 같이 심게 되는 곳은 시작점으로부터 몇 m 떨어진 곳일까요?

식 :
2	18	24
3	9	12
	3	4

답 : **72 m**

③ 가로가 12 cm, 세로가 8 cm인 직사각형 모양의 종이를 겹치지 않게 이어 붙여 가장 작은 정사각형을 만들었습니다. 만든 정사각형의 한 변의 길이는 몇 cm일까요?

식 :
2	12	8
2	6	4
	3	2

답 : **24 cm**

다음 물음에 답하세요.

○ 터미널에서 부산행은 10분마다, 광주행은 15분마다 출발합니다. 오전 8시에 부산행과 광주행 버스가 동시에 출발하였습니다. 다음번에 두 버스가 동시에 출발하는 시각은 오전 몇 시 몇 분일까요?

답 : 오전 **8시 30분**

10과 15의 최소공배수가 30이므로
다음번에 두 버스가 동시에 출발하는 시각은
8시 + 30분 = 8시 30분

① 지율이와 연우가 원 모양의 공원 둘레를 일정한 빠르기로 걷고 있습니다. 지율이는 16분마다, 연우는 20분마다 공원을 한 바퀴 돕니다. 두 사람이 오후 2시에 공원 입구에서 같은 방향으로 동시에 출발할 때 다음번에 두 사람이 공원 입구에서 만나는 시각은 오후 몇 시 몇 분일까요?

답 : 오후 **3시 20분**

② 바이올린 학원을 민수는 4일마다, 경욱이는 6일마다 다닙니다. 두 사람이 5월 1일에 학원에 동시에 갔습니다. 다음번에 학원에서 만나는 날은 몇 월 며칠일까요?

답 : **5월 13일**

③ 치과 정기 진료를 효연이는 2개월마다 한 번씩, 승원이는 5개월마다 한 번씩 합니다. 2021년 8월에 두 사람이 치과 정기 진료를 동시에 했다면 다음번에 두 사람이 동시에 하는 때는 몇 년 몇 월일까요?

답 : **2022년 6월**

5일 최대공약수와 최소공배수의 활용

최대공약수,
최소공배수를
잘 구분해야 해.

❀ 알맞은 풀이를 쓰고 답을 구하세요.

◎ 햄버거 30개와 콜라 15병을 최대한 많은 학생에게 남김없이 똑같이 나누어 주려고 합니다. 햄버거와 콜라를 최대 몇 명에게 나누어 줄 수 있을까요?

풀이:
```
3 ) 30  15
5 ) 10   5
      2   1
```
30과 15의 최대공약수가 3×5=15이므로
햄버거와 콜라를 최대 15명에게 나누어 줄 수 있습니다.

답 : __15명__

① 위인전 24권과 과학책 42권을 최대한 많은 책꽂이에 남김없이 똑같이 나누어 꽂으려고 합니다. 위인전과 과학책을 최대 몇 개의 책꽂이에 나누어 꽂을 수 있을까요?

풀이:
```
2 ) 24  42
3 ) 12  21
      4   7
```
24와 42의 최대공약수가 2×3=6이므로 위인전과 과학책을 최대 6개의 책꽂이에 나누어 꽂을 수 있습니다.

답 : __6개__

② 지윤이는 6일마다 호인이는 10일마다 자전거를 타러 공원에 갑니다. 지윤이와 호인이가 오늘 공원에 같이 갔다면 다음번에 두 사람이 공원에 같이 가는 날은 며칠 후일까요?

풀이:
```
2 ) 6  10
    3   5
```
6과 10의 최소공배수가 2×3×5=30이므로
다음번에 두 사람이 공원에 같이 가는 날은 30일 후입니다.

답 : __30일 후__

③ 희영이네 가족은 8주마다, 주환이네 가족은 12주마다 봉사 활동을 합니다. 이번 주에 두 가족이 함께 봉사 활동을 했다면 다음번에 두 가족이 함께 봉사활동을 하는 때는 몇 주 후일까요?

풀이:
```
2 ) 8  12
2 ) 4   6
      2   3
```
8과 12의 최소공배수가 2×2×2×3=24이므로
다음번에 두 가족이 봉사 활동을 하는 때는 24주 후입니다.

답 : __24주 후__

확인학습

✏️ □ 안에 알맞은 수를 써넣으세요.

① 6과 15의 최대공약수는 3 입니다.
```
3 ) 6  15
    2   5
```

② 10과 30의 최대공약수는 10 입니다.
```
2 ) 10  30
5 ) 5   15
     1   13
```

✏️ 다음 물음에 답하세요.

㉠ 귤 12개와 딸기 18개를 최대한 많은 모둠에게 남김없이 똑같이 나누어 주려고 합니다. 최대 몇 개 모둠까지 나누어 줄 수 있을까요?

답 : __6개__

④ 배구공 20개와 축구공 30개를 최대한 많은 사람에게 남김없이 똑같이 나누어 주려고 합니다. 한 사람이 배구공과 축구공을 각각 몇 개씩 받을 수 있나요?

답 : __배구공 2개, 축구공 3개__

✏️ □ 안에 알맞은 수를 써넣으세요.

⑤ 8과 14의 최소공배수는 56 입니다.
```
2 ) 8  14
    4   7
```

⑥ 14와 42의 최소공배수는 42 입니다.
```
2 ) 14  42
7 ) 7   21
     1    3
```

✏️ 다음 물음에 답하세요.

㉡ 도로 위에 시작점을 같이하여 장미는 12 m 간격으로, 튤립은 16 m 간격으로 심으려고 합니다. 시작점 이후에 두 꽃이 처음으로 같이 심게 되는 곳은 시작점으로부터 몇 m 떨어진 곳일까요?

답 : __48 m__

⑧ 터미널에서 대전행은 16분마다, 춘천행은 24분마다 출발합니다. 오전 10시에 대전행과 춘천행 버스가 동시에 출발하였습니다. 다음번에 두 버스가 동시에 출발하는 시각은 오전 몇 시 몇 분일까요?

답 : __오전 10시 48분__

P 60

확인학습

✎ 알맞은 풀이를 쓰고 답을 구하세요.

㉞ 동화책 16권과 세계 명작 20권을 최대한 많은 책꽂이에 남김없이 똑같이 나누어 꽂으려고 합니다. 동화책과 세계 명작을 최대 몇 개의 책꽂이에 나누어 꽂을 수 있을까요?

풀이:
$$\begin{array}{r} 2\,)\overline{\,16\ \ 20} \\ 2\,)\overline{\,\ 8\ \ 10} \\ \overline{\ \ 4\ \ \ \ 5} \end{array}$$

16과 20의 최대공약수가 2×2=4이므로 동화책과 세계 명작을 최대 4개의 책꽂이에 나누어 꽂을 수 있습니다.

답: ____4개____

㉟ 소연이는 6일마다 유미는 8일마다 도서관에 갑니다. 소연이와 유미가 오늘 도서관에 같이 갔다면 다음번에 두 사람이 도서관에 같이 가는 날은 며칠 후일까요?

풀이:
$$\begin{array}{r} 2\,)\overline{\,6\ \ 8} \\ \overline{\ \ 3\ \ 4} \end{array}$$

6과 8의 최소공배수가 2×3×4=24이므로 다음번에 두 사람이 도서관에 같이 가는 날은 24일 후입니다.

답: ____24일 후____

P 62 ~ 63

1회차 진단평가

제한 시간 15분
맞은 개수 /7개

✎ 하나의 식으로 나타내고 답을 구하세요.

① 학급 문고에는 동화책 38권, 과학책 24권이 있습니다. 준구는 이 중에서 17권을 읽었다면 아직 읽지 않은 책은 몇 권일까요?

식 : 38+24-17=45   답 : 45권

② 찬원이는 가지고 있던 돈 5400원으로 1300원짜리 공책 1권을 산 후 할머니에게 2700원 받았습니다. 찬원이가 지금 가지고 있는 돈은 얼마일까요?

식 : 5400-1300+2700=6800   답 : 6800원

✎ 하나의 식으로 나타내고 답을 구하세요.

③ 준정이네 반 학생 25명은 8명씩 2모둠으로 나누어 피구를 하고 나머지는 다른 반 학생 5명과 응원을 했습니다. 응원한 학생은 모두 몇 명일까요?

식 : 25-8×2+5=14   답 : 14명

④ 지우개 45개를 수은이네 모둠 3명과 정현이네 모둠 4명에게 5개씩 나누어 주었습니다. 남은 지우개는 몇 개일까요?

식 : 45-(3+4)×5=10   답 : 10개

✎ 다음 물음에 답하세요.

⑤ 카스테라 18개와 쿠키 24개를 친구들에게 남김없이 똑같이 나누어 주려고 합니다. 몇 명의 친구들에게 나누어 줄 수 있는지 모두 구하세요.

답 : 1명, 2명, 3명, 6명

⑥ 가로가 28 cm, 세로가 42 cm인 직사각형 모양의 종이가 있습니다. 이 종이를 남김없이 잘라 크기가 같은 정사각형 모양을 여러 장 만들려고 합니다. 만들 수 있는 정사각형의 한 변의 길이를 모두 구하세요.

답 : 1 cm, 2 cm, 7 cm, 14 cm

✎ 알맞은 풀이를 쓰고 답을 구하세요.

⑦ 삼각김밥 24개와 주스 30개를 최대한 많은 학생에게 남김없이 똑같이 나누어 주려고 합니다. 삼각김밥과 주스를 최대 몇 명에게 나누어 줄 수 있을까요?

풀이 :
```
2 )24 30
3 )12 15
    4  5
```
24와 30의 최대공약수가 2×3=6이므로 삼각김밥과 주스를 최대 6명에게 나누어 줄 수 있습니다.

답 : 6명

P 64 ~ 65

2회차 진단평가

제한 시간 15분
맞은 개수 /8개

✎ 하나의 식으로 나타내고 답을 구하세요.

① 어느 문구점에서 연필을 오전에 39자루, 오후에 48자루 팔았습니다. 처음 문구점에 있던 연필이 146자루일 때, 문구점에 남아 있는 연필은 몇 자루일까요?

식 : 146-(39+48)=59   답 : 59자루

② 자영이는 700원짜리 과자 1개와 1400원짜리 빵 1개를 사고 5000원을 냈습니다. 자영이가 받은 거스름돈은 얼마일까요?

식 : 5000-(700+1400)=2900   답 : 2900원

✎ 하나의 식으로 나타내고 답을 구하세요.

③ 민주는 바둑돌을 14개 가지고 있습니다. 엄마에게 바둑돌 22개를 받은 후 주머니 4개에 똑같이 나누어 담았습니다. 한 주머니에서 바둑돌 3개를 꺼냈다면 그 주머니에 남은 바둑돌은 몇 개일까요?

식 : (14+22)÷4-3=6   답 : 6개

④ 채소 가게에서 6개에 1440 g인 오이 1개와 4개에 1080 g인 당근 1개를 샀습니다. 구입한 채소의 무게는 모두 몇 g일까요? (같은 채소 1개의 무게는 서로 같습니다.)

식 : 1440÷6+1080÷4=510   답 : 510 g

✎ 다음 물음에 답하세요.

⑤ 피아노 학원을 지혜는 2일마다, 윤주는 5일마다 다닙니다. 5월 31일에 두 사람이 피아노 학원에서 만났다고 할 때 6월 한 달 동안 두 사람이 만난 날은 언제인지 모두 구하세요.

답 : 6월 10일, 6월 20일, 6월 30일

⑥ 가로가 12 cm, 세로가 8 cm인 직사각형 모양의 종이를 겹치는 부분 없이 늘어놓아 한 변의 길이가 100 cm보다 짧은 정사각형을 만들려고 합니다. 만들 수 있는 정사각형의 한 변의 길이를 모두 구하세요.

답 : 24 cm, 48 cm, 72 cm, 96 cm

✎ 최소공배수를 구하는 식을 완성하고 답을 구하세요.

⑦ 최소공배수를 이용하여 12와 15의 공배수를 작은 것부터 3개 구하세요.

```
3 )12 15
    4  5
```
답 : 60, 120, 180

⑧ 최소공배수를 이용하여 18과 27의 공배수를 작은 것부터 3개 구하세요.

```
3 )18 27
3 ) 6  9
    2  3
```
답 : 54, 108, 162

P 66 ~ 67

3회차 진단평가

✎ 하나의 식으로 나타내고 답을 구하세요.

① 48명의 학생을 한 모둠에 6명씩 나누고 각 모둠에 사탕을 14개씩 나누어 주었습니다. 나누어 준 사탕은 모두 몇 개일까요?

식 : **48÷6×14=112**   답 : **112개**

② 연필 7타를 6명에게 똑같이 나누어 주면 한 사람이 몇 자루를 가질까요? (연필 한 타는 12자루입니다.)

식 : **12×7÷6=14**   답 : **14자루**

✎ 하나의 식으로 나타내고 답을 구하세요.

③ 건호는 전체 쪽수가 560쪽인 위인전을 일주일 동안 매일 같은 쪽수만큼 읽기로 했습니다. 첫째 날 14쪽씩 4번 읽었다면 첫째 날 읽지 못한 쪽수는 몇 쪽일까요?

식 : **560÷7-14×4=24**   답 : **24쪽**

④ 어제는 장미 13송이씩 4묶음과 백합 7송이를 마당에 심고, 오늘은 튤립 54송이를 똑같이 6묶음으로 나눈 것 중에서 1묶음을 심었습니다. 어제 심은 꽃은 오늘 심은 꽃보다 몇 송이 더 많을까요?

식 : **13×4+7-54÷6=50**   답 : **50송이**

✎ 다음 물음에 답하세요.

⑤ 16을 어떤 수로 나누었더니 나누어떨어졌습니다. 16을 나누어떨어지게 하는 수를 모두 구하세요.

답 : **1, 2, 4, 8, 16**

⑥ 아이스크림 24개를 친구들에게 남김없이 똑같이 나누어 주려고 합니다. 친구들에게 나누어 주는 방법은 모두 몇 가지일까요?

답 : **8가지**

✎ 다음 물음에 답하세요.

⑦ 가로가 4 cm, 세로가 12 cm인 직사각형 모양의 종이를 겹치지 않게 이어 붙여 가장 작은 정사각형을 만들었습니다. 만든 정사각형의 한 변의 길이는 몇 cm일까요?

답 : **12 cm**

⑧ 정기 시력 검사를 승주는 3개월마다 한 번씩, 단우는 5개월마다 한 번씩 합니다. 2021년 1월에 두 사람이 정기 시력 검사를 동시에 했다면 다음번에 두 사람이 동시에 하는 때는 몇 년 몇 월일까요?

답 : **2022년 4월**

P 68 ~ 69

4회차 진단평가

✎ 하나의 식으로 나타내고 답을 구하세요.

① 딸기 224개를 한 상자에 7개씩 4줄로 담으려고 합니다. 딸기를 모두 담으려면 몇 상자가 필요할까요?

식 : **224÷(7×4)=8**   답 : **8상자**

② 한 사람이 한 시간에 눈오리를 6개씩 만들 수 있습니다. 4명이 눈오리 120개를 만들려면 몇 시간이 걸릴까요?

식 : **120÷(6×4)=5**   답 : **5시간**

✎ 하나의 식으로 나타내고 답을 구하세요.

③ 민준이는 친구들과 함께 편의점에 가서 1개에 1200원인 초콜릿 5개와 1개에 900원인 과자 4개를 사 먹었습니다. 간식비를 3명이 똑같이 나누어 낸다면 한 사람이 얼마를 내야 할까요?

식 : **(1200×5+900×4)÷3=3200**   답 : **3200원**

④ 지우개 1개에 400원, 자 1개에 500원, 연필 3자루에 2400원입니다. 정현이는 지우개와 자를 각각 6개씩 사고, 기석이는 연필 1자루를 샀습니다. 정현이가 쓴 돈은 기석이가 쓴 돈보다 얼마나 많을까요?

식 : **(400+500)×6-2400÷3=4600**   답 : **4600원**

✎ 다음 물음에 답하세요.

⑤ 1부터 30까지의 수 중에서 4로 나누어떨어지는 수를 모두 구하세요.

답 : **4, 8, 12, 16, 20, 24, 28**

⑥ 수정이는 11월 한 달 동안 7의 배수인 날마다 수영장을 가기로 했습니다. 수정이가 수영장을 가는 날 수는 모두 며칠일까요?

답 : **4일**

✎ 최대공약수를 구하는 식을 완성하고 답을 구하세요.

⑦ 최대공약수를 이용하여 14와 42의 공약수를 구하세요.

```
 2 ) 14  42
 7 )  7  21
      1   3
```
답 : **1, 2, 7, 14**

⑧ 최대공약수를 이용하여 36과 54의 공약수를 구하세요.

```
 2 ) 36  54
 3 ) 18  27
 3 )  6   9
      2   3
```
답 : **1, 2, 3, 6, 9, 18**

5회차 진단평가

✏️ 식에 알맞은 문제를 만든 후 답을 구해 보세요.

① **14+11-8**

예 상자에 초콜릿 14개와 사탕 11개가 있습니다. 이 중 8개를 먹었다면 남은 초콜릿과 사탕은 모두 몇 개일까요?

답 : **17개**

✏️ □가 있는 식을 쓰고 답을 구하세요.

② 어떤 수의 5배에서 72를 9로 나눈 몫을 빼었더니 12가 되었습니다. 어떤 수는 얼마일까요?

식 : **□×5-72÷9=12**   답 : **4**

③ 주미는 떡집에서 700원짜리 찹쌀떡 3개와 무지개떡 4개를 사고 6000원을 냈습니다. 거스름돈으로 300원을 받았다면 무지개떡 한 개의 값은 얼마일까요?

식 : **6000-(700×3+□×4)=300**   답 : **900원**

✏️ 다음 물음에 답하세요.

④ 5의 배수인 어떤 수가 있습니다. 이 수의 약수들을 모두 더하였더니 42가 되었습니다. 어떤 수를 구하세요.

답 : **20**

⑤ 7의 배수이면서 63의 약수인 어떤 수가 있습니다. 이 수는 20보다 크고 30보다 작은 수입니다. 어떤 수를 구하세요.

답 : **21**

✏️ 다음 물음에 답하세요.

⑥ 가로가 30 cm, 세로가 42 cm인 직사각형 모양의 종이를 크기가 같은 정사각형 모양으로 남는 부분없이 자르려고 합니다. 자를 수 있는 가장 큰 정사각형의 한 변의 길이는 몇 cm일까요?

답 : **6 cm**

⑦ 초콜릿 26개와 쿠키 39개를 최대한 많은 상자에 남김없이 똑같이 나누어 담으려고 합니다. 한 상자에 초콜릿과 쿠키를 각각 몇 개씩 담을 수 있나요?

답 : **초콜릿 2개, 쿠키 3개**

66

The essence of mathematics is its freedom.

99

"수학의 본질은 그 자유로움에 있다."

Georg Cantor, 게오르크 칸토어